· 고등학교 졸업자격 검정고시 ·

검정고시
정석

한국사

편집부 저

도서
출판 **국자감**
www.kukjagam.co.kr

Contents

Contents

I

우리 역사의
시작

선사시대의 생활

01

01 | 구석기 시대와 신석기 시대 사회 모습

1. 구석기 시대

1) 시기 : 만주와 한반도에 약 70만 년 전부터 시작

2) 도구

　① 뗀석기(돌에서 떼어내거나 깨뜨려 제작한 도구) 사용

　　– 주먹도끼, 찍개 : 하나의 도구를 사용하여 다양한 용도로 사용

　　– 구석기 후기에는 토끼나 여우 등 빠른 짐승을 잡기 위한 슴베찌르개 등이 사용

　② 나무와 동물의 뼈로 만든 도구 사용

3) 경제 활동 : 사냥, 채집, 물고기 잡이 등

4) 주거 : 동굴이나 바위그늘, 막집에 거주

5) 사회 : 평등사회, 무리지어 이동하는 생활

6) 유적지 : 공주 석장리, 연천 전곡리, 평양 대현동 동굴 등

▲ 주먹도끼

▲ 슴베찌르개

2. 신석기 시대

1) 시기 : 기원전 8000년 경(지금으로부터 약 1만 년 전)

2) 도구

　① 간석기 제작 : 돌괭이, 돌보습, 돌낫, 갈돌 등

　② 토기 제작 : 저장과 조리에 필요, 빗살무늬 토기

　③ 가락바퀴 : 실 뽑는 기구

3) **경제 활동**

　① 농경의 시작 : 조, 피, 수수 재배 시작

　② 목축 시작

　③ 원시 수공업 시작 : 의복과 그물 제작(가락바퀴, 뼈바늘)

4) **주거** : 정착 생활 시작

　① 강가나 해안가에 물을 쉽게 구할 수 있는 곳에서 움집 생활

　② 움집 : 땅을 파서 지음, 중앙에는 화덕자리가 있고 저장구덩이가 있음

5) **사회** : 평등 사회, 씨족 사회, 부족 사회

6) **종교의 분화**

　① 애니미즘 : 자연물이나 자연 현상에 대한 숭배, 정령신앙(물, 바위 등)

　② 토테미즘 : 특정한 동·식물 숭배, 자신의 부족과 연관 지어 수호신으로 여김

　③ 샤머니즘 : 무격신앙, 주술신앙, 신과 인간을 매개하는 무당 존재

　④ 영혼 불멸 사상 : 영혼이나 조상 숭배

7) **유적지** : 봉산 지탑리, 서울 암사동, 부산 동삼동, 제주 고산리

▲ 빗살무늬 토기

▲ 가락바퀴

▲ 움집

02 | 청동기 시대와 철기 시대의 사회 모습

1. **청동기 시대**

1) **시기** : 만주와 한반도 일대에서 기원전 2000 ~ 1500년경에 시작

2) **특징**

　① 계급의 발생

　　 – 금속제 무기 출현 → 정복활동 → 노예 발생 : 계급 사회 형성

② 군장 사회

    – 정복 활동을 통한 강력한 지배 계급의 출현

    – 하늘의 자손(선민사상) : 제사와 정치를 군장이 모두 행함 – 제정일치 사회

③ 사유재산제 발생

3) 유물과 유적

① 무덤 : 고인돌, 돌무지 무덤, 돌널 무덤

② 청동검 : 비파형 동검, 거친무늬 거울 – 북방 시베리아 계통의 영향 받음

③ 토기 : 민무늬 토기, 미송리식 토기

④ 농기구

    – 청동제 농기구는 없음

    – 간석기나 나무 이용

    – 반달돌칼(추수용 농기구)

  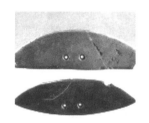

▲ 비파형 동검　　　▲ 미송리식 토기　　　▲ 반달돌칼

(북방식) 고인돌 – 고인돌에 묻힌 사람들은 족장이나 군장과 같은 지위를 가진 사람이나 그 가족으로 보인다. 고인돌의 축조에는 수백 명 이상의 인력이 동원되었을 것으로 짐작된다. 이것은 계급사회로 변화되었던 시점에 축조된 것으로 추정된다.

4) 경제 생활

① 농경 발달(벼농사 시작, 보리, 콩 재배)

② 가축 사육 비중 증가

5) 주거지

① 구릉지대 분포

② 배산임수의 취락 형성

③ 직사각형 형태의 지상 가옥

6) 사회 생활

① 남녀의 역할 분화

② 빈부의 격차 발생

③ 계급 분화

2. 철기 시대

1) **시기** : 기원전 4세기 경 발생

2) **독자적인 청동 문화 발달과 철기 보급**

① 비파형 동검 → 세형동검(한국식 동검), 거친무늬 거울 → 잔무늬 거울

② 거푸집 : 청동기 직접 제작 증거

③ 철제 농기구, 철제 무기

④ 청동기는 의식용 도구로 변화

▲ 세형동검(한국식 동검)

▲ 청동기 거푸집

세형동검

한국식 동검이라고도 불린다. 한반도에서 철기 문화가 유입되고 독자적인 청동 문화가 발달했음을 보여준다.

3) **중국과 교류**

① 경제 교류 : 명도전, 오수전, 반량전

② 문화 교류 : 붓(한자 전래와 사용 증거)

4) **무덤** : 널무덤, 독무덤

Exercises

01 구석기 시대에는 뗀석기를 사용하고 (　　　　)에서 주거생활을 하였다.

02 신석기 시대에는 농경 생활이 시작되고, 음식을 저장하고 조리하는 (　　　　　　　)가 제작되어 사용되었다.

03 신석기 시대에는 특정 동물과 자신의 부족을 연관시켜 숭배하는 (　　　)이 나타났다.

04 청동기 시대 무덤인 (　　　　)을 통해서 강력한 지배 계급의 출현을 알 수 있다.

05 한국식 동검이라고도 불리는 (　　　　)은 우리나라의 독자적인 청동 문화를 보여준다.

정답　1. 동굴　　2. 빗살무늬 토기　　3. 토테미즘　　4. 고인돌　　5. 세형동검

고조선의 건국과 여러 나라의 성장

01 | 고조선의 건국과 발전

1. 고조선의 건국

1) 고조선 건국

① 건국 : 기원전 2333년 단군왕검이 건국(삼국유사에 기록)

② 청동기 문화를 바탕으로 한 우리 민족 최초의 국가

③ 세력 범위 : 만주와 한반도 북부

　– 요령 지방을 중심으로 성장하여 한반도 북부로 세력 확대

　– 범위 관련 유물 : 비파형 동검, (북방식)고인돌, 미송리식 토기

▲ 비파형 동검

▲ (북방식)고인돌

▲ 미송리식 토기

④ 단군의 고조선 건국 이야기

　– 건국 이념 : 홍익인간

　– 환인, 환웅 : 하늘숭배, 선민사상

　– 풍백(바람), 우사(비), 운사(구름), 곡식 종자 : 농경사회

　– 곰, 호랑이 : 토테미즘

　– 웅녀(곰부족 : 토착 세력) + 환웅(이주 세력) ⇒ 부족 간 연합

　– 단군왕검 : 제정일치 사회

2) 고조선의 성장

① 왕위 세습 : 부왕, 준왕

② 관직 설치 : 상, 대부, 장군

③ 기원전 3세기에 중국의 연과 대립할 만큼 강성

2. 고조선의 변화

1) 위만의 집권(B.C. 194)

① 중국의 진한 교체기에 위만이 무리를 이끌고 고조선에 들어옴

　　→ 위만은 준왕의 신임을 받아 국경 방어 임무를 수행하다 준왕을 몰아내고 왕위 차지

② 위만 조선의 발달 : 철기 문화의 본격적 수용, 중국의 한과 한반도 진 사이 중계 무역 독점

③ 멸망(B.C. 108) : 한 무제 침입 - 일부 지역에 한군현 설치

2) 고조선의 사회

① 8조법 : 생명 중시, 농경과 사유 재산제 사회, 계급 사회, 가부장적 가족 제도 확립

② 한 군현 설치 후 사회 혼란으로 법률이 60여 조로 늘어남

고조선의 8조법

1. 사람을 죽인 사람은 사형에 처한다.
2. 남을 다치게 한 사람은 곡식으로 갚는다.
3. 도둑질한 사람은 노비로 삼는데 만약 용서를 받으려면 50만전을 치러야 한다.

02 | 철기 시대의 여러 나라

1. 특징

1) 부족 연맹체 국가 : 여러 부족이 모여 하나의 국가를 이룸

2) 제천행사 : 국가 주도의 제천 행사 시행

3) 부족장의 세력 강함

① 왕은 존재하나 왕권은 미약

② 부족장이 독자적 세력 형성

2. 철기 시대 여러 나라

1) 부여 : 만주 송화강 유역

① 제천행사 : 영고(12월 제사)

② 정치 : 사출도(동물 이름의 부족장이 다스리는 지역 : 마가, 우가, 저가, 구가)

   5부족 연맹체

③ 사회 풍습 : 순장, 1책 12법

④ 경제 : 반농반목의 경제 생활

2) 고구려 : 압록강의 동가강 유역 졸본 지역

① 제천행사 : 동맹(국조신에 대한 제사의식 성격)

② 정치 : 제가회의, 5부족 연맹체

   → 왕 아래 대가가 있고, 대가 역시 사자 · 조의 · 선인을 거느림

③ 사회 풍습 : 서옥제(일종의 데릴사위제), 형사취수제

④ 경제 : 약탈 경제 체제

3) 옥저 : 함경도 동해안

① 제천행사 : 기록 없음

② 정치 : 왕이 없고 읍군, 삼로 등의 군장이 각 부족 지배

③ 사회 풍속 : 민며느리제, 가족 공동 무덤

④ 경제 : 해산물(어물, 소금) 풍부, 토지 비옥

4) 동예 – 강원도 북부

　① 제천행사 : 무천(10월 제사)

　② 정치 : 왕이 없고 읍군, 삼로 등의 군장이 각 부족 지배

　③ 사회 풍속

　　– 책화 : 다른 부족의 생활권을 불법으로 침범하면 노비와 소, 말로 책임을 지게 한
　　　풍속

　　– 족외혼 : 다른 집단의 사람과 혼인하는 풍속

　④ 경제

　　– 해산물 풍부, 토지 비옥

　　– 특산물 : 단궁, 과하마, 반어피

5) 삼한 : 한강 이남 ; 마한, 진한, 변한

　① 소도

　　– 천군(제사장)이 다스리는 신성지역, 정치적 군장의 권력이 미치지 못함

　　– 종교와 정치가 분리된 제정분리 사회

　　– 종교적 제사장 : 천군

　　– 정치적 군장 : 신지, 읍차, 부례 등

　② 경제

　　– 벼농사 발달(저수지 발달)

　　– 변한(낙동강 유역) : 철 생산 풍부, 낙랑과 왜와 철 교역, 철을 화폐로 사용(덩이쇠)

　③ 제천행사 : 5월제(수릿날), 10월제(계절제)

Exercises

01 고조선의 범위를 알려 주는 유물로는 (   ), (   ), (   )이 있다.

02 우리 민족 최초의 국가 고조선은 (   )을 통해 법률 체계를 갖추고 있었음을 알 수 있다.

03 부여는 영고라는 제천행사와 정치적으로는 (   )라는 제도가 있었다.

04 동예는 다른 부족의 경계를 함부로 침범하면 가축이나, 노비로 변상하는 (   )라는 풍습이 있었다.

05 삼한은 정치적인 지배자 외에 천군이라는 제사장이 다스리는 (   )라는 신성지역이 있었다.

정답   1. 비파형 동검, 미송리식 토기, 고인돌   2. 8조법   3. 사출도   4. 책화   5. 소도

II

·

고대 국가의 성장

01 삼국과 가야의 성립

01 | 고대 국가의 특징

1. 중앙집권적 성격 강화

1) 왕권 강화

① 왕위 세습제 확립

② 부족장의 세력 약화 → 중앙귀족으로 편입

2) 율령 반포

① 통치 질서의 확립

② 중앙 관제와 관등제 정비

③ 지방 조직 정비

3) 불교 수용

① 국민의 사상을 통합하기 위한 새로운 종교 필요

② 강력한 왕권 뒷받침

2. 활발한 영토 확장

1) 한강 유역의 주도권을 차지하기 위한 영토 전쟁

2) 국왕의 권한 강화로 중앙집권적 고대 국가로 발전

3) 커다란 영역 국가로 발전

02 | 삼국의 성립과 가야의 발전

1. 삼국의 성립

1) 고구려의 성립

① 주몽(동명왕) : 동가강 유역 졸본 지역에서 건국

② 태조왕(1~2세기) : 옥저 정복, 계루부 고씨의 왕위 세습권 확립, 고대국가 기틀 마련

③ 소수림왕(4세기) : 중국 전진을 통한 불교 수용, 태학 설립, 율령 반포

2) 백제의 성립

　① 온조 : 고구려계 유이민과 한강 유역의 토착 세력이 연합하여 건국

　② 고이왕(3세기) : 한강 유역 장악, 관등제 정비, 율령 반포, 고대 국가 기틀 마련

3) 신라의 성립

　① 박혁거세 : 경주 지역의 토착민과 유이민 집단의 결합으로 신라 건국

　② 박 · 석 · 김씨의 3성이 교대로 왕위를 차지

2. 가야의 성립과 발전

1) **건국** : 낙동강 하류의 변한 지역에서 성장한 소국이 연맹왕국으로 발전

2) **금관가야(김수로 건국)** : 전기 가야의 맹주로 성장, 4세기 고구려의 공격으로 약화되어 대가야에 대표권이 넘어가고 6세기 신라 법흥왕의 공격으로 신라에 복속

3) **특징** : 풍부한 철 생산, 벼농사 발달, 낙랑과 왜를 연결하는 중계무역 발달

4) 가야 토기는 일본 스에키 토기에 영향을 줌

5) **멸망** : 중앙집권적 고대국가로 성장하지 못하고 6세기 신라 진흥왕의 대가야 정복으로 신라에 병합

▲ 가야의 철제 갑옷

▲ 가야의 수레토기

▲ 가야 연맹의 위치

Exercises

01 고대 국가가 형성되는 과정에서 왕권이 강화되면서 (   ) 세력은 약화되었다.

02 삼국은 왕권을 강화하고 국민의 정신을 통합하기 위해서 (   )를 수용하였다.

03 백제의 (   )은 율령을 반포하여 고대 국가의 기틀을 마련하였다.

04 가야는 (   )로 성장하지 못하고 신라에 복속되었다.

05 가야 연맹에서 초기에는 (   )가 대표 가야 역할을 하였다.

정답 1. 부족장   2. 불교   3. 고이왕   4. 고대국가   5. 금관가야

삼국의 발전

01 | 삼국의 한강 주도권 싸움

1. 4세기 한반도 정세 – 백제 팽창기

1) **근초고왕** : 백제 팽창기

① 마한 잔여 세력 정복

② 고구려 평양성 공격(고구려 고국원왕 전사) → 황해도 일대 차지

③ 해외 진출 : 요서, 산둥 반도, 일본 규슈 등에 진출하여 고대 상업 세력 형성

④ 중국 남조의 동진과 교류

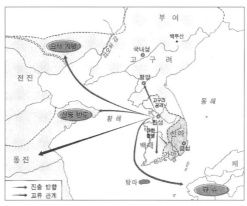

▲ 4세기 백제의 발전

2) **내물왕** : 신라 고대국가 기틀 마련

① 김씨의 왕위 세습

② '마립간'이란 왕의 칭호 사용

③ 고구려 도움으로 왜 격퇴 → 고구려를 통해 간접적으로 중국 문물 수용

호우명 그릇

경주 호우총에서 발견된 호우명 청동 그릇은 고구려 광개토대왕의 제사 그릇으로, 여기 쓰여진 글귀를 통해 5세기에 고구려가 신라에 영향력을 행사하였음을 알 수 있다.

2. 5세기 한반도 정세 – 고구려의 팽창기

1) 광개토대왕 : 최대 영토 확장

① 요동을 포함한 만주 차지

② 한강 이북까지 진출

③ 신라를 도와 왜 격퇴

④ '영락' 연호 사용

2) 장수왕 : 고구려 한강유역 확보

① 남진정책 추진(평양 천도) → 나 · 제 동맹 체결

② 남한강 유역까지 진출(충주 고구려비)

　: 백제 웅진 천도

③ 중국 남북조와 교류

▲ 5세기 고구려 전성기의 세력 판도

광개토대왕릉비

광개토대왕릉비는 장수왕 때 세운 것으로, 선왕인 광개토대왕의 업적을 기리기 위해 세운 것이다. 여기에는 광개토대왕의 정복 사업이 연대순으로 자세히 기록되어 있으며, 신라에 침입한 왜를 격퇴한 사실 등도 나타나 있다.

3. 6세기 한반도 정세 – 신라의 팽창기

1) 성왕 : 백제 중흥기

① 사비 천도, 국호를 '남부여'로 고침

② 통치 체제 재정비

③ 불교 진흥 : 일본에 불교 전파(노리사치계)

④ 신라와 연합하여 한강 일시적 수복 : 신라(진흥왕) 공격으로 상실

무령왕

백제 웅진 시대 마지막 왕으로 특수행정구역 22담로에 왕족을 파견하여 지방세력을 통제하였다.

2) **진흥왕** : 신라의 팽창기

　① 화랑도를 국가 조직으로 정비

　② 한강 유역 확보 : 중국과 직접 교역 활발, 경제 기반 강화, 전략적 거점 확보

　③ 역사서인 '국사' 편찬

　④ 대가야 정복, 함경도까지 진출 : 삼국 경쟁의 주도권 장악

1. **진흥왕 영토 확장비** : 단양적성비, 진흥왕 순수비(창녕비, 북한산비, 황초령비, 마운령비)

2. 신라의 진흥왕은 한강 유역을 차지하고 낙동강 유역까지 확보하면서 중국, 왜와 교통로를 확보하였다. 이것으로 중국과 직접 교류가 활발하게 되었고, 국력이 강해지면서 삼국의 주도권을 잡을 수 있었다.

02 | 신라의 삼국통일 과정

1. 고구려와 수 · 당의 전쟁

　1) **6세기 말~7세기 동북아시아의 정세**

　　① 수의 통일(589), 당의 건국(618)

　　② 남북 세력(돌궐, 고구려, 백제, 왜)과 동서 세력(수 · 당, 신라)의 대립

　2) **고구려와 수의 전쟁**

　　① 수의 세력이 동북으로 확대 – 고구려의 선제 공격

　　② 수 문제의 침략(598) → 고구려가 격퇴

　　③ 수 양제의 침입(612) → 우중문의 30만 별동대 평양성 공격 → 을지문덕이 살수에서 격퇴(살수대첩)

　3) **고구려와 당의 전쟁**

　　① 고구려의 연개소문 : 당의 침략에 대비 천리장성 축조

　　② 당의 침략(645) → 안시성 전투에서 격퇴

2. 신라의 삼국통일

1) 백제 멸망(660)

① 나·당 연합군의 공격 → 계백의 황산벌 전투 패배 → 사비성 함락

② 백제 유민의 저항 : 부흥 운동 전개(복신, 부여풍, 흑치상지), 왜의 지원 – 실패

2) 고구려 멸망(668)

① 연개소문 사후 권력 다툼으로 국력 소모, 나·당 연합군 공격으로 평양성 함락

② 고구려 유민의 저항 : 부흥 운동 전개(안승, 검모잠) – 실패

3) 신라의 삼국통일 완성

① 당의 한반도 지배 야욕 : 웅진도독부(백제 지역), 계림도독부(신라 지역), 안동도호부 (고구려 지역) 설치

② 나·당 전쟁 : 매소성 전투, 기벌포 전투에서 당군 격퇴 → 삼국통일 완성

③ 삼국통일의 의의 : 고구려, 백제 유민과 합세하여 당군을 몰아낸 자주적 통일, 민족 문화 발전의 기틀 마련

④ 삼국통일의 한계 : 외세(당)를 끌어들인 통일, 대동강 이남 지역 확보로 영토 축소

Exercises

01 신라는 (   ) 때 고구려 광개토대왕의 도움으로 왜를 격퇴하였다.

02 백제는 (   ) 때 해외진출을 통해 요서, 산둥반도, 규슈 지역에 백제 세력을 형성하였다.

03 고구려는 (   ) 때 수도를 평양으로 천도하고, 남한강까지 진출하였다.

04 백제는 성왕 때 수도를 (   )로 옮기면서 국호를 남부여로 개칭하였다.

05 신라는 진흥왕 때 청소년 수련 집단인 (   )를 공인하였다.

06 고구려는 수의 침입을 고구려 장수 (   )이 살수에서 크게 격파 하였다.

07 신라는 (   ), (   )에서 당군을 물리치면서 삼국통일 을 완성할 수 있었다.

정답 1. 내물왕   2. 근초고왕   3. 장수왕   4. 사비   5. 화랑도   6. 을지문덕
7. 매소성 전투, 기벌포 전투

03 남북국 시대의 발전

01 | 통일 신라의 발전

1. 신라 중대 왕권의 전제화 – 무열왕 이후

1) 태종 무열왕 때 삼국통일 시작으로 문무왕 때 삼국통일 완성
2) **신문왕** : 왕권 전제화
   ① 집사부 시중 권한 강화, 상대등 세력 약화
   ② 녹읍 폐지, 관료전 지급
   ③ 귀족의 반발(김흠돌의 난) 진압, 6두품 등용
   ④ 통치체제 정비

> **녹읍과 관료전**
>
> 신라 중대 귀족 세력을 누르기 위해 녹읍을 폐지하고 관료전을 지급하였다. 관료전은 귀족이 지급 받은 토지의 조세만 수취할 수 있었다. 반면 녹읍은 조세 수취는 물론 노동력을 징발할 수 있어 귀족의 경제적 기반으로 활용되었다.

2. 통치체제 정비

1) **중앙 정치 조직** : 집사부와 그 장관인 시중 중심, 사정부(감찰기구) 운영
2) **지방 행정 조직** : 9주와 5소경 체제, 상수리 제도(지방 통제)

> **5소경**
>
> 5소경은 옛 가야, 고구려, 백제 지역에 설치하였다. 신라의 수도 경주가 한 쪽에 치우쳐 있어서 수도의 편재성을 극복하기 위해 설치하였다. 그리고 중앙의 귀족을 이주시켜서 지방 세력을 견제하도록 하였다.

> **상수리 제도**
>
> 지방 세력을 일정 기간 수도인 금성(경주)에 머물게 한 것으로, 고려의 기인제도에 영향을 주었다.

3) 군사조직

① 중앙군 : 9서당 – 고구려인, 백제인, 말갈인까지 포함(민족융합책)

② 지방군 : 10정 – 9주에 1정씩 배치, 북쪽 국경 한주에는 2정을 배치

3. 신라 하대의 동요 – 혜공왕 이후

1) **왕위 쟁탈전 전개** : 혜공왕 피살, 150여 년간 20명의 왕의 교체, 김헌창의 난

2) **지방 세력의 성장**

① 호족 : 자신의 근거지를 중심으로 반독립적인 세력을 형성

② 유형 : 지방 토착 세력, 군진 세력, 중앙에서 지방으로 내려온 세력 등

③ 활동 : 스스로 성주 또는 장군이라 칭하며 지방의 군사권과 행정권 장악

3) **6두품** : 신라의 골품제 사회를 비판하며 새로운 정치 이념 제시, 지방 호족과 연계

4) **새로운 사상**

① 선종 : 참선과 사색을 통해 부처의 마음을 읽고 깨달음을 얻는 불교 종파

② 풍수지리설 : 지형과 지세에 따른 개인과 지역, 국가의 운수사상

5) **농민봉기** : 원종, 애노의 난 등

4. 후삼국 시대

1) **후백제(900)** : 견훤이 완산주(전주) 중심으로 건국, 여러 나라와 외교관계를 통해 국가 체제를 갖춤

2) **후고구려(901)** : 궁예가 송악에 도읍을 정하고 건국, 국호를 마진, 태봉 등으로 고침

02 | 발해 성립과 발전

1. 발해 건국과 고구려 계승 의식

1) **건국** : 고구려 유장 대조영이 고구려인과 말갈인과 함께 만주 동모산에서 건국(698)

2) **고구려 계승 의식**

① 일본에 보낸 국서에 '고려 국왕'이라 밝힘

② 지배층이 고구려인

③ 고구려 문화를 계승

- 온돌장치, 불교양식(연화무늬 기와, 이불병좌상), 굴식돌방무덤

당의 영향을 받은 발해 문화

1. 3성 6부제의 중앙 정치 조직은 당의 3성 6부를 모방했으나 명칭과 운영은 달리하였다.
2. 주작대로는 발해 수도 상경 용천부 왕궁터 앞에 바둑판 모양의 잘 정돈된 큰 길인데 당의 수도 장안성에도 같은 것이 존재하였다.

2. 발해의 발전과 대외 관계

1) 발해의 발전

① 무왕(8세기 초) : 영토 확장, 당과 대립, 당의 산둥반도 공격(장문휴), 돌궐·일본과 연결하여 당과 신라 견제, 독자적인 연호 사용(인안)

② 문왕(8세기 후반) : 당과 친선교류, 당의 문화 수용, 통치체제 정비, 신라와 교류(신라도), 독자적 연호 사용(대흥)

③ 선왕(9세기) : 요동 지역으로 진출하여 최대 영토, 중국인들은 '해동성국'이라 부름

2) 발해의 대외 관계

① 신라 : 교류가 활발하진 않음

② 일본 : 신라 견제 이유로 친선 교류

3) 발해의 멸망(926) : 거란에 의해 멸망, 많은 유민들이 고려로 망명

3. 발해의 통치 조직

1) 중앙 정치 조직

① 당의 3성 6부를 수용했으나 독자적인 명칭과 방식으로 운영

② 정당성에서 중대사를 논의하고 실무 행정까지 담당

▲ 발해의 3성 6부

2) 지방 행정

　① 5경 15부 62주로 조직

　② 촌락은 토착 세력에 의한 자치

3) 군사 조직 : 10위

Exercises

01 신라 중대에 귀족의 경제적 기반을 약화시키기 위해 관료전을 지급하고 (   )을 폐지하였다.

02 신라 하대에는 새로운 사상으로 참선을 중시하는 (   )과 지형 · 지세에 따른 운수 사상인 (   )이 유행하였다.

03 신라 중대에는 9서당에 고구려인, 백제인, 말갈인까지 포함하여 신라의 (   ) 노력을 알 수 있다.

04 발해는 대일 외교 문서나 지배층을 통해 (   )를 계승한 국가임을 알 수 있다.

05 발해는 9세기 이후에 당에서 문화가 발달한 국가라 하여 (   )이라 하였다.

정답 1. 녹읍   2. 선종, 풍수지리설   3. 민족 융합   4. 고구려   5. 해동성국

고대 국가의 사회, 경제, 문화

01 | 고대 국가의 사회 모습

1. 삼국의 사회 모습

1) 삼국의 신분제

① 귀족 : 정치·경제적 특권 향유, 녹읍과 식읍을 통한 토지와 농민 지배

② 평민 : 농민들은 자신의 토지를 경작하거나 토지를 빌려 경작, 조세·공물·역 부담

③ 천민 : 대부분 노비

2) 법과 풍습

① 고구려 : 1책 12법, 형사취수제, 서옥제

② 백제 : 고구려와 언어, 풍속, 의복 유사

③ 신라

화랑도	- 청소년 수련 단체로 원시 사회 청소년 집단에서 유래 - 계층 간의 대립과 갈등을 조절, 완화 기능 - 원광의 세속오계(마음 가짐과 행동의 규범)
화백회의	- 귀족의 합의제 기구 - 왕위 계승 문제, 외국과의 전쟁, 법률 제정 등 국가의 중대사를 논의하여 결정 - 귀족의 단결을 굳게 하고, 국왕과 귀족 간의 갈등을 조절하는 기능
골품제도	- 엄격하고 폐쇄적인 신분 제도 - 왕족인 골제와 일반 귀족인 품제를 합하여 골품제라 함 - 혈연에 따라 개인의 사회 활동과 정치 활동의 범위 제약 - 일상생활까지 규제

2. 남북국의 사회

1) 통일 신라

① 민족 융합책

- 고구려와 백제 귀족을 골품제에 편입

- 9서당에 고구려인, 백제인, 말갈인까지 편성
② 통일 신라의 생활 모습
- 귀족 : 금입택이라 불리는 저택 거주, 많은 노비와 사병 보유, 식읍과 녹읍
- 평민 : 자기 토지와 귀족의 토지 빌려 경작

2) 발해
① 지배층 : 대씨(왕족), 고씨(귀족) 등 고구려 유민
② 피지배층 : 말갈인 다수
③ 사회 모습 : 당의 문물 수용, 고구려와 말갈의 전통 유지

02 | 고대 국가의 경제 정책

1. 삼국의 경제

1) 삼국의 경제 정책
① 농업 : 철제 농기구, 우경 장려, 저수지 축조
② 농민 생활 안정 : 고구려 진대법

> **진대법**
>
> 고구려 고국천왕 때 을파소의 건의로 실시한 것으로 봄에 곡식을 빌려주고 가을에 납부
> 하게 하였다. 이러한 것은 농민의 몰락을 방지하여 국가 재정과 국방력을 유지하기 위한
> 것이다.

2) 삼국의 경제 활동
① 수공업 : 관청에서 주관하여 무기와 농기구, 관청 수요품 생산
② 상업 : 수도에 시장 개설, 경주에 동시전 개설
③ 대외 무역 : 왕실과 귀족의 필요에 따라 공무역 형태로 교역

2. 남북국의 경제

1) 통일 신라
① 토지 제도 : 녹읍 폐지, 관료전 지급, 정전 지급

② 민정문서
- 조세와 공납, 역을 징수하기 위한 자료
- 촌락의 토지 면적, 인구 수(연령별, 남녀별 구분), 소와 말의 수, 토산물의 변동 사항 기록, 촌주가 3년마다 작성
③ 장보고의 활약
- 해적 소탕을 위해 청해진 설치
- 남해와 황해 해상 무역 장악
- 당과 일본의 중계무역 거점으로 성장
④ 당과 교류 활발
- 신라의 유학생이 당의 빈공과에 합격
- 산둥반도와 양쯔강 하류 : 신라방, 신라소, 신라관, 신라원 등 설치

2) 발해
① 농업 : 밭농사 중심, 목축과 수렵 발달
② 무역 : 당, 신라, 일본과 교역
③ 당과 교류 활발 : 산둥반도에 발해관 설치

03 | 고대 국가의 문화 발전

1. 삼국의 문화

1) 삼국의 학문과 종교
① 유학 교육
- 고구려 : 태학(중앙 교육), 경당(지방 교육)
- 백제 : 박사 제도(오경박사), 사택지적비
- 신라 : 임신서기석

임신서기석
신라의 화랑 두 사람이 유교 경전을 공부할 것을 약속하고 인격을 수양할 것을 맹세한 비석이다. 이는 화랑도에서 유학을 공부하였음을 알려주는 것이다.

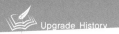

② 역사서 : 고구려「유기」,「신집 5권」, 백제「서기」, 신라「국사」- 전해지지 않음

③ 불교

  - 수용 시기 : 중앙집권 체제 확립이 이루어지는 4세기 무렵 수용

  - 역할 : 국민의 정신 통합, 왕권 뒷받침, 선진 문화 수입

④ 도교

  - 내용 : 무위자연, 산천숭배, 신선사상, 불로장생 추구

  - 유물 : 고구려의 사신도, 백제의 금동대향로와 산수무늬 벽돌

사신도

사신은 동쪽의 청룡, 서쪽의 백호, 남쪽의 주작, 북쪽의 현무를 가리킨다. 이것은 도교의 방위신을 그린 것으로, 죽은 자의 사후의 세계를 지켜주리라는 믿음을 표현하고 있다.

▲ 고구려 사신도 중 현무도

▲ 백제 산수무늬 벽돌

▲ 백제의 금동대향로

2) 탑과 불상

① 탑

  - 고구려 : 현존하지 않음

  - 백제 : 익산 미륵사지 석탑, 부여 정림사지 5층 석탑

  - 신라 : 황룡사 9층 목탑(몽골 침입 때 소실), 분황사 모전 석탑

② 불상 : 삼국에서는 미륵보살 반가 사유상을 많이 만듦

▶ 익산 미륵사지 석탑 : 규모가 큰 석탑으로 목탑의 양식을 한 초기 석탑이다.

3) 과학 기술

　① 천문학 : 농경과 밀접히 관련되고, 왕의 권위를 하늘과 연결시키려함

　　고구려의 천문도, 신라의 첨성대(선덕여왕 때 제작)

　② 금속 기술 : 백제의 칠지도, 금동대향로, 신라의 금관, 금귀고리

▲ 신라의 첨성대

▲ 칠지도 : 백제와 왜(일본)의 교
류 관계를 보여준다.

4) 고분(무덤)

　① 고구려

　　－ 초기 : 돌무지무덤(장군총)

　　－ 후기 : 굴식 돌방무덤(무용총, 강서고분 : 벽화가 있음)

　② 백제

　　－ 초기 : 돌무지무덤(석촌동 고분 : 고구려와 같은 계통)

　　－ 후기 : 굴식 돌방무덤, 벽돌무덤(공주 무령왕릉 : 중국 남조의 영향)

　③ 신라 : 돌무지덧널무덤(천마총 : 도굴이 어려움)

▲ 고구려 장군총(돌무지무덤)

▶ 백제 무령왕릉 : 중국 남조의
영향을 받은 벽돌무덤이다.

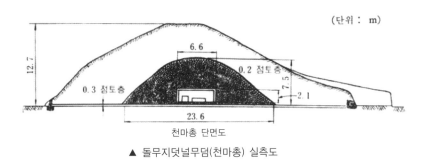

(단위 : m)

천마총 단면도

▲ 돌무지덧널무덤(천마총) 실측도

5) 삼국의 문화 일본 전파

① 고구려 : 담징(종이와 먹), 혜자(쇼토쿠 태자 스승), 벽화

② 백제 : 일본과 교류 가장 활발, 왕인(한자, 유학), 노리사치계(불교)

③ 신라 : 조선술, 축제술(한인의 연못)

④ 삼국의 문화는 일본 아스카 문화에 영향을 줌

2. 남북국의 문화

1) 통일 신라

① 유학의 발달

– 국학 설치 : 중앙 교육 기관

– 독서삼품과 : 원성왕 때 유교 경전의 이해 수준을 평가하여 관리 등용에 참고하려
했으나 실행되지 못함

– 유학자

김대문	신라의 문화를 주체적으로 인식, 「화랑세기」, 「한산기」, 「고승전」 저술
설총	이두 정리, 「화왕계」 저술
최치원	빈공과 합격, 신라 하대 사회개혁안 제출, 「계원필경」 저술

② 불교의 발달

– 원효 : 불교 대중화에 기여(아미타 신앙), 화쟁 사상(종파의 통합, 일심 사상), 불교
이해 기준 확립

– 의상 : 화엄 사상, 관음 신앙 전파

– 혜초 : 「왕오천축국전」 저술

– 선종 유행 : 호족과 백성의 호응, 5교 9산 성립

③ 건축과 탑

   – 건축 : 석굴암, 불국사

   – 불탑 : 감은사지 3층 석탑, 불국사 3층 석탑(석가탑), 다보탑, 진전사지 3층 석탑

   – 승탑 : 선종 유행으로 등장, 화순 쌍봉사 칠감선사탑

   – 범종 : 상원사 동종, 성덕대왕 신종(에밀레종)

④ 과학 기술 : 무구정광대다라니경(불국사 3층 석탑에서 발견) – 세계최고의 목판 인쇄본

▲ 불국사 3층 석탑

▲ 석굴암의 본존불

▲ 쌍봉사 칠감선사탑

2) 발해

① 고구려 문화 계승 : 온돌장치, 연화무늬 기와, 이불병좌상, 굴식돌방무덤의 모줄임 천장 구조, 돌사자상

② 당 문화 수용 : 3성 6부 정치 조직, 주작대로

③ 유학의 발달 : 주자감(교육기관), 당의 빈공과 합격생 배출

④ 고분 : 정혜공주 묘, 정효공주 묘

▲ 발해의 석등

▲ 이불병좌상

▲ 돌사자상

Exercises

01 신라의 귀족회의인 (   )에서는 만장일치의 의결 방식을 채택하였다.

02 통일 신라에서는 조세와 공납, 역의 자료로 (   )를 촌주가 3년마다 작성하였다.

03 신라 하대 (   )는 청해진을 설치하여 해상 무역을 장악하였다.

04 삼국의 문화는 일본에 전파되어 (   ) 문화에 영향을 주었다.

05 통일 신라의 승려 (   )는 불교 대중화와 불교 종파 통합에 기여하였다.

06 고구려의 무덤인 (   ) 양식은 백제와 신라, 발해까지 모두 사용되었고, 벽화가 그려져 있다.

07 백제의 (   )은 목탑 양식을 가진 초기 석탑으로 익산에 있다.

정답   1. 화백회의   2. 민정문서   3. 장보고   4. 아스카   5. 원효   6. 굴식 돌방무덤
7. 미륵사지 석탑

Ⅲ

고려 귀족 사회 형성과 발전

고려의 형성과 정치 발전

01 | 고려의 성립과 체제 정비

1. 고려의 성립

1) **고려의 건국**(918) : 왕건은 궁예를 몰아내고 권력을 장악, 국호를 고려라 하고 연호를 천수라 함, 수도를 철원에서 송악으로 옮김

2) **후삼국 통일**(936)
① 발해 유민을 수용
② 신라의 항복을 받아들임
③ 후백제 정벌

2. 고려의 통치 체제 정비

1) **태조(왕건)**
① 민생 안정 : 조세감면
② 호족 세력 통합
    – 융합책 : 정략적 혼인 정책, 성씨 하사
    – 견제책 : 사심관 제도, 기인 제도

> **사심관 제도**
>
> 호족 출신의 중앙 귀족에게 자신의 출신지와 처의 출신지의 사심관으로 임명하여 지방을 통제하는 것으로 신라 마지막 경순왕이 경주 사심관으로 처음 임명됨
>
> **기인 제도**
>
> 지방 호족의 자제를 볼모로 삼아 수도에 두고 출신지에 대한 자문을 하게 한 제도로 신라의 상수리 제도에서 비롯됨

③ 북진 정책
    – 고구려 계승 의식 : 국호 고려

　　　　－ 서경(평양) 중시

　　　　－ 영토 확장 : 청천강 ~ 영흥만의 국경선 확보

　　　　－ 발해 유민 포용

　　④ 숭불 정책 : 연등회, 팔관회 개최

> **훈요 10조**
>
> 태조가 후손에게 내린 가르침으로 왕실과 국가의 안녕을 바라는 태조의 사상과 정책 방향을 제시함. 불교 숭상, 풍수지리설 중시, 거란 배격, 북진 정책 등의 내용 수록

2) 광종 : 왕권 강화

　　① 노비안검법 : 불법으로 노비가 된 자를 양인으로 해방 – 호족 세력 약화, 국가 재정 개선

　　② 과거 제도 실시 : 능력에 따른 관리 선발

　　③ 복색 제정, 독자적 연호 사용(광덕, 준풍)

3) 성종 : 유교적 정치 질서 확립

　　① 최승로의 시무 28조 채택 : 유교적 정치 실현 추구

　　② 국자감 설치 : 유학 교육 진흥

　　③ 제도 정비

　　　　－ 중앙 관제 : 2성 6부

　　　　－ 지방 제도 : 12목 설치, 지방관 파견, 향리 제도

　　④ 불교 행사(연등회, 팔관회) 축소 또는 폐지

02 | 고려의 통치 조직

1. 중앙 정치 조직

1) 2성 6부제 : 당의 3성6부 수용

　　① 중서문하성 : 국정 총괄, 재신과 낭사로 구성

　　② 상서성 : 이, 병, 호, 형, 예, 공의 6부를 두어 정책 집행 담당

2) 중추원 : 군사 기밀과 왕명 출납 담당, 추밀과 승선으로 구성

3) 도병마사와 식목도감 : 중서문하성의 재신과 중추원의 추밀로 구성된 합의제 기구

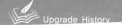
① 도병마사 : 초기에는 국방 문제를 논의하였으나 후기에는 국정 전반을 논의하는 최고
의 합의제 기구

② 식목도감 : 법률 제정과 관련하여 논의

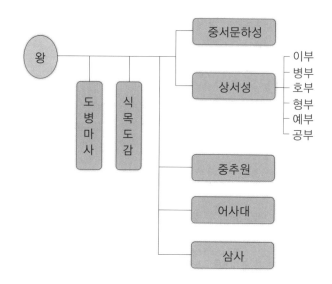

4) **어사대** : 정치의 잘잘못을 논하고 관리 감찰

5) **대간** : 어사대와 낭사로 구성

　① 간쟁, 봉박, 서경권 담당

　② 권력의 독점과 부정 방지, 언론 기능

6) **삼사** : 화폐와 곡식의 출납 및 회계 담당

2. 지방 행정 조직

　1) **5도와 양계**

　　① 5도 : 일반 행정 구역, 안찰사 파견

　　② 양계 : 군사 행정 구역, 병마사 파견

　2) **주현과 속현**

　　① 주현 : 지방관이 파견된 현

　　② 속현 : 지방관이 파견되지 않은 현, 향
리가 지휘, 주현의 지방관이 간접 통치

　3) **향, 부곡, 소** : 특수 행정 구역

　　① 거주민 신분은 백정 농민과 같은 양인

　　② 일반 양인보다 더 많은 세금 부담

③ 거주민의 이사 자유 없음

④ 향리가 지휘하는 지역

> **향리**
>
> 지방에서 각종 실무를 담당하는 하위직 지방 관리로 조선 시대에는 그 지위가 약화되어 수령의 실무를 보좌하는 역할을 하였다.

4) **3경제** : 개경(송악), 서경(평양), 동경(경주) - 이후에 동경은 남경(한양)으로 변경

3. 군사 제도

1) **중앙군** : 2군 6위 - 군역 세습, 직업 군인

> **중방**
>
> 2군 6위 소속의 상장군과 대장군이 모인 회의 기구이다. 무신정변 직후 모든 정치 문제를 다루는 최고 권력 기구로 이용되었다.

2) **지방군** : 주진군(양계), 주현군(5도)

4. 관리 임용 제도

1) **음서 제도** : 공신과 종실의 자손, 5품 이상 고위 관리의 자손은 과거 시험을 거치지 않고 관리에 등용 - 공음전과 더불어 고려의 귀족 사회의 특성을 보여줌

> **공음전**
>
> 공신, 5품 이상의 관리들이 받던 토지로 세습이 가능하여 귀족들의 중요한 경제적 기반이 되었다.

2) **과거 제도**

① 자격 : 양인 이상 가능

② 종류
- 문과 : 제술과와 명경과 실시, 문관 등용
- 잡과 : 기술관 등용
- 승과 : 승려 대상으로 실시
③ 무과는 실시되지 않음

03 | 문벌 귀족 사회 성립과 동요

1. 문벌 귀족 사회 성립

1) 문벌 귀족 사회 형성
① 지방 호족 출신의 중앙 관료, 신라 6두품 출신의 유학자들이 성종 이후 새로운 지배층 형성
② 대표 문벌 귀족 : 경원 이씨, 파평 윤씨, 해주 최씨, 경주 김씨 등

2) 문벌 귀족의 특징
① 여러 세대에 걸쳐 중앙에서 고위 관직자를 배출한 가문
② 음서와 공음전의 혜택
③ 서로 간의 통혼과 왕실의 외척이 되어 권력 장악

2. 문벌 귀족 사회의 동요

1) 문벌 귀족 사회 동요 배경
① 문벌 귀족 사회의 내부 분열
② 개경의 문벌 귀족과 과거를 통해 새롭게 진출한 지방 출신 세력과의 대립

2) 이자겸의 난(1126)
① 원인 : 이자겸의 권력 독점, 왕의 측근 세력과 대립
② 전개 과정 : 이자겸과 척준경이 난을 일으킴 → 인종에 포섭된 척준경이 이자겸 제거 → 인종 복위, 척준경 탄핵
③ 영향 : 문벌 귀족 사회의 모순이 드러난 계기, 문벌 귀족 사회 분열 심화, 서경 천도론 대두

3) 묘청의 서경 천도 운동(1135)
① 배경 : 문벌 귀족의 금에 대한 사대외교에 불만, 이자겸의 난으로 민심 동요

② 개경파와 서경파의 대립

구분	개경파 – 김부식	서경파 – 묘청, 정지상
성격	개경 중심의 문벌 귀족	지방 출신의 개혁적 관리
사상	· 유교 사상 – 금에 사대 정책 · 신라 계승 의식	· 풍수지리설, 전통 사상 – 북진 정책 · 고구려 계승 의식
주장	· 서경 천도 반대 · 유교적 사회질서 확립	· 왕권 강화, 혁신 개혁 · 서경 천도, 금 정벌

③ 전개 과정 : 개경 문벌 귀족의 반대로 서경 천도 좌절 → 묘청 등이 서경에서 반란
(1135); 국호 – 대위, 연호 – 천개 → 김부식의 관군에 1년 만에 진압

④ 의의 : 문벌 귀족과 지역 세력의 대립, 유교 사상과 자주적 전통 사상의 대립, 고구려
계승 의식에 대한 이견과 갈등 → 문벌 귀족 사회의 동요 심화

문벌 귀족 사회 동요 관련 사건

이자겸의 난 → 묘청의 서경 천도 운동 → 무신정변

Exercises

01 고려 태조는 (　　　)을 통해 호족 세력을 통합하면서 사심관 제도와 기인 제도를 통해 호족 세력을 견제하였다.

02 고려 광종은 왕권 강화를 위해 (　　　　　)을 실시하여 억울하게 노비가 된 사람들을 양민으로 해방하여 호족 세력을 약화시켰다.

03 고려의 최고 회의 기구인 (　　　　　)는 초기에는 국방 문제를 논의하기 위한 임시기구였다.

04 고려 시대 5품 이상의 관리들은 정치적으로 (　　)와 경제적으로 (　　)을 통해 문벌 귀족 사회를 강화시켰다.

05 묘청은 지형에 따른 운수 사상인 (　　　　　　)을 이용하여 서경으로 천도할 것을 주장하였다.

정답　1. 혼인정책　2. 노비안검법　3. 도병마사　4. 음서, 공음전　5. 풍수지리설

02 고려의 대외 관계 변화

01 | 대외 관계 변화

1. 거란 침입 격퇴(요; 10~11세기)

1) 배경

① 거란의 성장과 송과 거란의 대립

② 고려의 친송 정책과 북진 정책, 거란 배격

2) 전개 과정

① 1차 침입(993)

- 서희의 외교 담판 : 서희는 거란의 소손녕한테 고려가 고구려를 계승한 후계자임을 알리고, 거란으로 가는 북방 지역의 교통로를 확보하면 거란과 교류할 것을 약속함
- 강동 6주 확보

② 2차 침입(1010)

- 강조의 정변을 구실로 거란이 침입
- 개경 함락, 양규의 활약으로 격퇴

③ 3차 침입(1018)

- 고려와 송의 지속적인 우호 관계를 구실로 거란의 소배압이 10만 대군을 이끌고 침입
- 강감찬이 귀주에서 격퇴(귀주대첩, 1019)

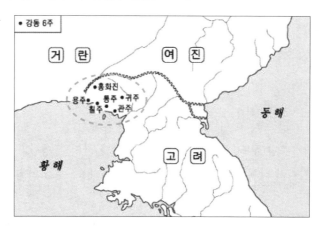

3) 결과

① 고려와 송, 거란의 세력 균형 유지

② 개경 주변 나성과 천리장성(압록강~도련포) 축조

2. 여진 정벌(금; 12세기)

1) 배경
① 고려의 동북쪽 국경지대에 여진 세력이 강성해지면서 잦은 침략
② 윤관의 여진 정벌 실패

2) 전개 과정
① 첫 여진 정벌 실패 후 윤관은 별무반 조직
② 별무반을 이끌고 여진 정벌에 성공하여 동북 9성을 축조(1107)
③ 여진의 반환 요구와 방어의 어려움으로 동북 9성 반환

> **별무반**
>
> 여진을 정벌하기 위해 고려가 만든 기병 중심의 부대이다. 기병인 신기군, 보병인 신보군, 승병인 항마군으로 구성되었다.

3) 여진의 세력 성장
① 여진은 금을 세우고 고려에 형제 관계 요구
② 집권 세력인 이자겸은 금의 사대 요구를 수용

02 | 무신 정권 성립

1. 무신 정권(1170~1270)

1) 무신 정변(1170)
① 배경 : 의종의 실정과 향락, 문신 우대와 무신에 대한 차별 대우, 하급 군인에 대한 낮은 대우
② 전개 과정
 - 무신 정변 : 정중부, 이의방 등이 무신 정변 주도(1170)
 - 권력 기구 : 중방(무신 최고 회의 기구) 중심의 국정 운영
 - 무신 간의 권력 다툼 : 이의방 → 정중부 → 경대승 → 이의민 → 최충헌

2) 최씨 무신 정권
① 최충헌 집권 : 이의민을 제거하고 집권, 교정도감을 국정의 핵심 기구로 하고 도방을 군사적 기반으로 권력 유지
② 대몽 항쟁 : 몽골의 침략과 최우의 강화도 천도
③ 개경 환도(1270) : 몽골에 항복하고, 최씨 무신 정권의 몰락으로 개경 환도

3) 최씨 정권의 핵심 인물

① 최충헌
- 초기에 사회개혁안 제시, 이후 자신의 권력 유지에 집중
- 교정도감 설치 : 최씨 권력의 핵심으로 국가 중요 정책 결정과 반대 세력 감시
- 도방 확대 : 사병 조직으로 경호 역할 강화

② 최우
- 정방 설치 : 문·무 관리의 인사 행정 담당 기구로 인사권 장악
- 강화도 천도 : 몽골 침략에 맞서 저항하기 위해 강화도로 천도

2. 무신 정권에 대한 저항

1) 지배층의 저항

① 조위총의 반란 : 서경 유수 조위총의 무신 정권에 대한 저항
② 승려들의 저항 : 교종 승려들이 무신 정권에 저항

2) 피지배층의 저항

① 배경 : 무신 정권의 권력 유지에 대한 민심 이탈, 신분제 동요
② 망이·망소이의 난 : 공주 명학소에서 봉기
③ 김사미·효심의 난 : 지나친 수탈에 대한 저항, 신라의 부흥 외침
④ 만적의 난 : 최충헌의 노비 만적이 주도, 노비들의 신분 해방적 성격

3. 몽골 항쟁(1231~1270)

1) 몽골의 침략

① 원인 : 세력이 강성해진 몽골은 거란을 추격하는 과정에서 고려와 처음 접촉한 뒤 무리한 조공을 요구 → 고려는 몽골 사신을 살해 → 고려를 침략
② 전개 과정 : 준비 부족으로 최씨 정권은 강화를 맺은 뒤 강화도로 천도하여 몽골의 침략에 항쟁

2) 몽골 항쟁

① 처인성 전투 : 김윤후가 부곡민을 이끌고 몽골 장수 살리타 사살
② 충주 다인철소 전투 : 다인철소의 하층민이 몽골군과 끝까지 싸워서 격퇴
③ 팔만대장경 조판 : 부처의 힘으로 국난을 극복하고자 제작

3) 영향

① 문화재 소실 : 초조대장경, 황룡사 9층 목탑 소실

② 무신 정권 붕괴 : 최씨 정권 붕괴 이후 김준, 임연, 임유무 등의 정권교체가 있었으나 무신 정권 붕괴 후 개경 환도

③ 삼별초 항쟁(1270~1273)

- 개경 환도에 반발하여 배중손, 김통정 지휘 하에 몽골에 끝까지 항쟁
- 강화도에서 진도로 다시 제주도로 이동하여 최후까지 항쟁
- 고려 무인의 굴복하지 않는 기개를 보여준 역사적 사건

고려의 대외 관계 정리

1. 거란(10C 말 ~ 11C) : 1차 침입(서희, 강동 6주), 3차 침입(강감찬, 귀주대첩)
2. 여진(12C) : 윤관, 별무반, 동북 9성
3. 몽골(13C) : 강화도 천도, 팔만대장경, 삼별초 항쟁
4. 홍건적, 왜구(14C) : 공민왕 시기, 최영과 이성계 활약, 최무선 화포 제작(진포 싸움에서 왜구 격퇴)

Exercises

01 서희는 거란의 침략을 외교적 담판으로 물리치고 (　　　　) 지역을 획득하였다.

02 소배압이 이끈 거란의 3차 침입을 (　　　　　)은 귀주에서 크게 물리쳤다.

03 윤관은 여진을 정벌하기 위한 특수부대인 (　　　)을 구성하여 여진 정벌에 성공하였다.

04 묘청은 (　　　　　)을 기반으로 수도를 서경으로 옮길 것을 주장하였다.

05 무신 정권은 몽골의 침략에 대항하기 위해 (　　　)로 천도하여 40년간 항쟁을 벌였다.

06 개경 환도를 반대하면서 (　　　)는 몽골에 끝까지 항쟁하며 저항하였다.

정답　1. 강동 6주　2. 강감찬　3. 별무반　4. 풍수지리설　5. 강화도　6. 삼별초

03 고려 후기의 정치 변화

01 | 원 간섭기와 공민왕의 반원 개혁 정치

1. 원 간섭기

1) 영토 상실 : 쌍성총관부(철령 이북), 동녕부(자비령 이북), 탐라총관부(제주도)를 설치하여 원의 직속령으로 삼음

2) 일본 원정에 동원 : 두 차례의 일본 원정으로 인적, 물적 자원의 피해가 큼

3) 내정 간섭

    ① 왕실 호칭과 관제 격하 : 황제에서 왕의 나라로 격하

       – 폐하 → 전하, 조종제 → 왕

       – 2성 6부 → 1부 4사

       – 고려는 원의 부마국 전락

    ② 정동행성 설치, 다루가치 파견

4) 수탈 : 조공, 공녀, 공남 요구

5) 영향

    ① 몽골풍 유행 : 수라, 만두, 소주, 변발

    ② 조혼 풍습 유행

    ③ 친원 세력(권문세족) 형성

2. 공민왕의 자주적 반원 개혁 정치

1) 배경 : 권문세족과 친원 세력의 횡포, 14세기 원·명 교체기

2) 공민왕의 반원 개혁

    ① 반원 자주 정책

       – 정동행성 이문소 폐지

       – 쌍성총관부 무력으로 탈환; 영토 확장

       – 관제 복구, 몽골풍 폐지

    ② 친원 세력(권문세족) 숙청

       – 기철 등 제거

③ 왕권 강화

　– 정방 폐지

　– 전민변정도감 설치 : 신돈을 책임자로 임명하여 불법적 토지를 원래 주인에게 돌
　　려주게 하여 권문세족을 약화시킴

④ 결과

　– 권문세족의 반발로 신돈이 살해되고, 공민왕이 시해되면서 개혁 정치 실패

3) 신진 사대부의 성장

① 지방 향리 출신으로 과거 시험을 통해 중앙정계 진출

② 성리학 수용 : 조선의 기본 사상으로 성장

③ 공민왕의 과거제와 성균관 정비로 성장

④ 권문세족과 불교의 폐단 비판

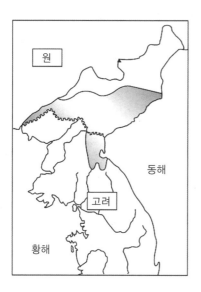

철령 이북 지역 – 지도에서 회색으로 표시된 지역으로 공민왕이 반원 자주 정책의 일환으로 쌍성총관부를 무력으로 탈환하면서 영토가 확장되었다. 쌍성총관부는 원 간섭기 원의 직속령으로 철령 이북지역에 설치되었다.

02 | 고려의 멸망

1. 고려 후기 모습

1) 권문세족의 횡포, 공민왕의 개혁 실패, 홍건적과 왜구의 침입

2) 홍건적과 왜구를 격퇴하는 과정에서 신흥무인세력이 성장

3) 사회적 개혁을 주장하는 신진 사대부가 권문세족 축출

2. 고려의 멸망

1) 위화도 회군(1388)

① 명이 철령 이북 지역 요구

② 최영은 이성계 등을 시켜 요동 정벌 단행 추진

③ 이성계의 위화도 회군(1388) : 최영을 제거하고, 이성계의 정권 장악

2) 과전법 개혁(1391)

① 혁명파 신진 사대부와 이성계의 전제 개혁 시행

② 권문세족의 경제 기반 약화, 신진 사대부의 경제 기반 마련

3) 고려의 멸망 : 혁명파 신진 사대부의 추대로 이성계가 왕으로 추대, 조선 건국(1392)

고려의 지배층 변화

호족	문벌귀족	무신 정권	권문세족	신진 사대부
고려 건국	음서, 공음전	하층민 봉기 몽골 항쟁	원 간섭기 친원파	성리학 수용 조선 건국

권문세족과 신진 사대부 비교

	권문세족	신진 사대부
경제적 기반	대농장	중소지주층
관직 진출	음서	과거
사상적 기반	불교	성리학
대외정책	친원파	친명파
성향	보수적	개혁적

Exercises

01　원은 고려에 감찰관인 (　　　　)를 파견하여 고려의 내정을 간섭하였다.

02　공민왕은 원이 직속령으로 삼고 있는 철령 이북지역의 (　　　　　)를 무력으로 탈환하여 영토를 넓혔다.

03　공민왕은 신돈을 (　　　　　　)의 책임자로 임명하여 권문세족이 불법으로 농민에게 빼앗은 토지를 원주인에게 돌려주게 하였다.

04　공민왕 때 등용되기 시작한 (　　　　)는 성리학을 수용하고 권문세족을 비판하였다.

05　이성계는 요동정벌 중 (　　　　　)으로 최영을 제거하고 권력을 잡았다.

정답　1. 다루가치　2. 쌍성총관부　3. 전민변정도감　4. 신진 사대부　5. 위화도 회군

고려의 경제, 사회, 문화

01 | 고려의 경제와 사회

1. 고려의 경제

1) 수취 제도

① 토지와 호구 조사를 통해 양안과 호적 작성

② 수취 제도

- 조세 : 토지를 논과 밭으로 구분, 토지 비옥도에 따라 3등급으로 나눠서 부과
- 공물 : 중앙에서 필요한 공물을 주현에 부과, 향리들이 집집마다 토산물 징수
- 역 : 16세에서 60세 미만 남자에 부과, 군역과 요역으로 구분

2) 토지 제도

① 전시과

- 관리의 등급에 따라 전지(농지)와 시지(임야)를 나누어 지급한 토지, 수조권을 지급함
- 원칙적으로 사망하거나 퇴직 시 국가에 반납

종류	공음전 : 공신과 종실, 5품 이상의 관료에게 지급되는 특혜적 토지로 세습이 가능한 토지. 음서와 함께 귀족의 지위 유지 기반
	한인전 : 6품 이하 하급 관리의 자제로 관직에 오르지 못한 자에게 지급한 토지
	군인전 : 군역의 대가로 지급, 군역이 세습됨에 따라 자손에게 세습되는 토지
	구분전 : 하급 관리와 군인 유가족에게 지급한 토지

② 민전 : 개인 소유지로 매매, 상속, 증여가 가능한 토지. 조세 부과

3) 농업

① 농민 생활 : 자영농은 민전 경작, 소작농은 국유지나 타인의 소유지 경작

② 경작지 확대 : 황무지 개간, 12세기 이후 강화도 간척지 개발

③ 농업 기술

- 시비법 발달 : 휴경지 감소

    – 밭농사에서는 2년 3작의 윤작법이 나타남

    – 남부 지방 일부에서 이앙법 보급

4) 상업의 발달과 화폐 주조

  ① 상업 활동 : 시전과 관영 상점, 경시서 설치

  ② 고려 후기 소금 전매제 실시

  ③ 화폐 주조

    – 건원중보(철전), 삼한통보, 해동통보, 해동중보, 활구(은병)

    – 결과 : 화폐 유통 부진, 곡식과 삼베가 주요 교환 수단

  ④ 국제 무역항 : 벽란도 – 유럽에 고려의 이름이 소개됨(코리아)

경시서
고려와 조선 시대 시전을 관리, 감독하는 관청

활구(은병)
우리나라 지형을 본떠서 은 1근으로 만든 고가의 화폐, 은병 하나에 포 100필의 가치

---

2. 고려의 사회

1) 고려의 신분제도

  ① 귀족

    – 왕실과 5품 이상의 고위관리 가문

    – 고려 전기에는 음서와 공음전을 기반으로 한 문벌귀족

    – 원 간섭기에는 권문세족이 집권 세력

    – 경제 · 정치적 특권을 향유

  ② 중류층

    – 실무 행정을 담당하는 말단 행정직 관리, 직역 세습

    – 잡류(중앙의 말단 행정직 관리), 향리(지방의 실무 담당), 남반(궁중 실무 관리), 하급 장교

  ③ 양민

    – 조세와 공납, 역 담당

    – 백정(농민) : 특정한 직역을 부담하지 않은 농민

    – 상인, 수공업자

　　　　－ 향, 부곡, 소 주민 : 일반 양민보다 더 많은 세금 부담, 거주 이전 금지

　　④ 천민

　　　　－ 노비 : 공노비, 사노비 － 매매, 상속, 증여의 대상

　　　　－ 외거 노비의 경우 독립적인 생활과 더불어 재산 형성 가능

2) 고려의 사회 모습

　　① 사회 제도 : 백성들의 생활 안정책

　　　　－ 의창(곡식 대여), 상평창(물가 조절)

　　　　－ 동ㆍ서 대비원(가난한 환자 치료), 혜민국(의약 전담)

　　　　－ 제위보(기금을 마련하여 빈민 구제)

　　② 향도 : 농민 조직

　　　　－ 매향 활동을 하던 불교 신앙 조직에서 시작

　　　　－ 고려 후기 마을의 상장례, 마을 제사 등을 주관하는 농민 조직

　　③ 여성의 지위 : 조선과 비교

	고려시대	조선시대(조선 후기)
상속	자녀 균분	장자 위주
제사와 봉양	여성도 의무	장자
여성의 재혼	여성도 자유로움	여성 불가
호주	여성도 가능	여성 불가
호적 기재	태어난 순서	남녀 구분
혼인 후 거주	처가살이 일반적	시집살이 일반적(친영 제도)
여성의 지위	수평적 평등 관계	수직적 종적 관계

고려의 가족제도

고려는 사위가 처가의 호적에 입적하는 경우도 있고, 음서의 경우도 사위와 외손자도 혜택이 있었다.

02 | 고려의 문화

1. 고려의 학문 발달
1) 고려 초기
① 광종 : 과거제 시행
② 성종 : 유교 정치 사상 확립, 최승로의 시무 28조, 국자감 설치, 향교 설치
2) 고려 중기
① 사학의 발달
– 최충의 9재 학당을 비롯한 사학 12도 성행
– 관학 진흥책 : 7재(전문 강좌), 양현고, 서적포
② 보수적이고 현실적인 유학 성격
3) 고려 후기
① 성리학의 전래 : 충렬왕 때 안향이 소개, 신진 사대부에 수용
② 성리학의 영향 : 신진 사대부의 사회 개혁 사상으로 불교와 권문세족 비판, 조선의 통치 이념으로 계승

2. 고려의 역사서
1) 고려 초기 : 7대 실록 편찬 – 전해지지 않음
2) 고려 중기 : 삼국사기
① 김부식 편찬, 관찬
② 유교적 합리 사관, 기전체 방식
③ 신라 중심으로 서술
④ 우리나라 현존 최고의 역사서
⑤ 단군의 고조선 건국 기록 없음

> **기전체**
> 본기(황제에 대한 기록), 세가(왕이나 제후에 관한 기록), 열전(신하와 승려), 지(법률과 제도), 표(연표) 등의 항목으로 나누어 역사를 편찬하는 형식이다. '삼국사기'는 본기 28권, 지 9권, 표 3권, 열전 10권으로 이루어져 있다.

3) 고려 후기 : 자주적 민족의식 고취

　① 해동고승전, 동명왕편, 제왕운기

　② 삼국유사 : 일연 편찬

　　– 불교사 중심으로 서술, 기사본말체

　　– 설화와 향가 수록

　　– 단군의 고조선 건국 기록 최초로 수록

4) 고려 말 : 이제현의 사략(성리학적 유교 사관)

3. 고려의 불교 발달

1) 고려 불교의 발달

　① 대각국사 의천

　　– 고려 중기(문벌귀족 시기)

　　– (해동)천태종 창시 : 교종 중심으로 선종까지 통합

　　– 교관겸수 강조

　② 보조국사 지눌

　　– 고려 후기(무신정권 시기)

　　– 조계종 창시 : 선종 중심으로 교종까지 통합

　　– 정혜쌍수, 돈오점수 강조

　　– 신앙 정화 운동 : 수선사 결사 운동

　　– 선교일치 완성

　③ 혜심

　　– 유불일치설

2) 대장경 간행

　① 초조대장경 : 거란 침입을 극복하기 위해 제작, 몽골 침입 때 소실

　② 팔만대장경(재조대장경)

　　– 몽골의 침입을 격퇴하기 위해 강화도에서 제작

　　– 현재 합천 해인사에 보관

　　– 1995년 유네스코 세계 기록 유산 등재

▲ 팔만대장경

3) 고려 불교 문화

① 목조 건축

- 주심포 양식 : 안동 봉정사 극락전(현존 최고의 목조 건축물), 영주 부석사 무량수
  전, 예산 수덕사 대웅전
- 다포 양식 : 사리원 성불사 응진전

② 석탑

- 평창 월정사 8각 9층 석탑 : 송의 영향
- 개성 경천사지 10층 석탑 : 원의 영향

③ 승탑 : 여주 고달사지 승탑, 법천사 지광국사 현묘탑

④ 불상 : 논산 관촉사 석조 미륵보살 입상, 영주 부석사 소조여래 좌상

4) 고려의 과학 기술

① 천문학 : 사천대, 당의 선명력, 원의 수시력 채용

② 의학 : 향약구급방

③ 인쇄술 : 금속 활자 인쇄술

- 상정고금예문(1234) : 기록으로만 전함
- 직지심체요절(1377) : 세계 최고의 금속 활자본, 프랑스 파리 국립 도서관에 보관,
  유네스코 기록 유산 등재

④ 화약 : 최무선 화포 제작 – 진포 싸움에서 왜구 격퇴

5) 고려의 공예

① 자기 공예 : 청자(송의 영향), 상감청자(독창적인 우리 도자기 기술)

② 공예 : 은입사 기술, 나전칠기

③ 그림 : 천산대렵도(공민왕), 혜허의 관음보살도

④ 음악 : 아악(송의 대성악이 궁중 음악으로 발전), 향악(우리 고유 음악)

▲ 청자칠보투각향로

▲ 운학문매병(상감청자)

▲ 직지심체요절

Exercises

01 고려는 무역항인 (   )를 통해 송, 일본, 아라비아 등의 상인들이 교류
하면서 유럽에 알려졌다.

02 행정 기구의 실무 행정을 보는 관리나, 향리 등이 속한 신분계층이
(   )이다.

03 고려는 직역을 갖지 않은 일반 농민을 (   )이라 하였다.

04 고려는 재산 상속에 있어서 자녀가 (   )하였다.

05 현존하는 가장 오래된 역사서인 (   )는 유교적 합리주의 사관에
따라 김부식에 의해 편찬되었다.

06 고려 후기 지눌은 선종과 교종을 통합한 (   )을 창시하여 선교일치
를 완성하였다.

07 청주 흥덕사에서 제작되었다고 알려진 (   )은 현존 최고의 금
속활자본으로 프랑스 국립도서관에 보관되어 있다.

정답 1. 벽란도   2. 중류층   3. 백정   4. 균등   5. 삼국사기   6. 조계종
7. 직지심체요절

IV

조선 사회
성립과 발전

조선의 건국과 정치 발전

01 | 조선의 건국과 체제 정비

1. 조선 유교 사회 성립

1) 조선 건국

① 배경 : 신흥 무인 세력(이성계)과 신진 사대부(정도전)의 협력 – 권문세족 비판과 사회개혁 추진

② 건국 과정

– 위화도 회군(1388) : 이성계가 최영을 제거하고 정권 장악

– 과전법 실시(1391) : 신진 사대부의 경제적 기반 마련과 이성계의 경제권 장악

– 조선 건국(1392) : 신진 사대부의 추대로 이성계 왕위에 오름

③ 신진 사대부 분화

– 온건파 신진 사대부 : 점진적 개혁, 고려 왕조 유지, 정몽주

– 혁명파 신진 사대부 : 급진적 개혁, 새로운 왕조 개창, 정도전

2) 국가 기틀 마련

① 태조(이성계)

– 국호를 '조선'이라 정함, 한양 천도

– 정도전 : 재상 중심 정치 주장, 성리학적 통치 이념 확립

② 태종 : 왕권 강화

– 왕자의 난으로 정권 장악, 정도전 제거

– 국왕 중심 체제 : 6조 직계제, 사병 폐지

– 호패법 실시, 사원 토지 몰수

③ 세종 : 유교적 민본 사상 실현

– 왕권과 신권의 조화 : 집현전 설치, 의정부 서사제 실시

– 훈민정음 창제, 과학 기술 발전(측우기, 자격루, 앙부일구, 칠정산)

– 영토 확장 : 여진 정벌을 통해 4군 6진 개척, 사민 정책

– 쓰시마섬 정벌(이종무)

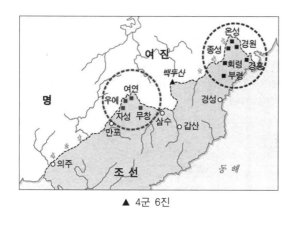

▲ 4군 6진

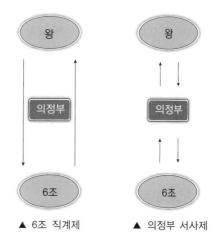

▲ 6조 직계제   ▲ 의정부 서사제

④ 세조 : 6조 직계제, 집현전과 경연 폐지
⑤ 성종 : 통치 규범의 성문화
　　－ 경국대전 반포 : 조선의 기본 법전
　　－ 홍문관 설치, 경연 강화

2. 통치 체제 정비

1) 중앙 통치 조직(경관직) : 의정부와 6조 중심

① 의정부 : 조선 시대 최고 회의 기구, 재상의 합의로 국정을 총괄
② 6조 : 왕의 명령을 집행하는 행정 기관 – 이, 호, 예, 병, 형, 공(책임자 : 판서)
③ 왕권 강화 기구
　　－ 승정원 : 왕의 비서기구, 왕명출납 기구
　　－ 의금부 : 왕의 특별 사법 기구, 국가의 대역죄 처벌
④ 삼사 : 왕권 견제 기구
　　－ 사헌부 : 관리 비리 감찰
　　－ 사간원 : 정책에 대한 간쟁
　　－ 홍문관 : 경연 담당, 국왕의 자문 기구

　　삼사는 권력의 독점과 부정을 방지하는 기구로 언관직이라 하였다.

⑤ 춘추관 : 역사 편찬, 조선왕조실록 편찬

⑥ 한성부 : 수도 한양의 행정과 치안 담당

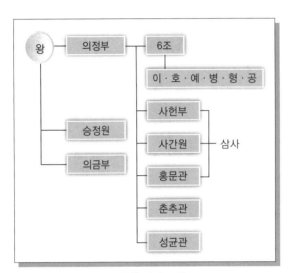

▲ 중앙 정치 조직

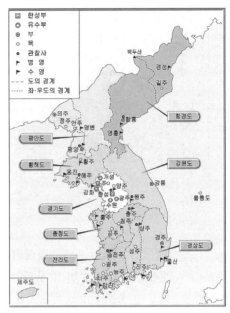

▲ 지방 행정 제도

2) 지방 행정 조직 : 외관직

　① 8도(관찰사 파견) → 부, 목, 군, 현 설치(수령 파견)

　　㉠ 관찰사

　　　· 한 도의 행정, 사법, 군사 기능까지 아우르는 막강한 권한을 가짐

　　　· 수령을 비롯한 모든 외관을 평가함

　　㉡ 수령

　　　· 지방 행정을 실질적으로 담당하는 각 군현의 외관

　　　· 왕의 대리인으로 왕명에 따른 지방 통치

　　　· 업무 : 인구 증가, 농업 장려, 조세 부과, 치안 유지, 군사 지휘, 사법 재판 등

　　㉢ 향리

　　　· 지방의 세습직 아전, 수령의 실무 행정을 보좌

　② 중앙 집권 체제 강화

　　－ 속현과 향, 소, 부곡 폐지

　　－ 모든 군현에 수령 파견

　　－ 수령 권한 강화, 향리 지위 격하

　③ 상피제도 : 수령이나 관찰사는 자신의 출신지에 부임 금지

　④ 유향소

　　－ 지방 양반들의 자치 기구

– 향회 소집, 여론 수렴, 백성 교화, 수령 자문, 향리 규찰 등

⑤ 경재소 : 중앙에서 지방 업무를 살피는 사무소, 경재소를 통해 유향소 통제

3) 군역과 군사 제도

① 군역 제도 : 양인개병제(16세~60세 미만 양인 남자), 정군과 보인으로 편성(현직관리, 학생, 향리 면제)

② 군사 조직

– 중앙군 : 5위 – 궁궐 수비와 수도 경비

– 지방군 : 육군(병영 – 병마절도사), 수군(수영 – 수군절도사)

– 잡색군 : 서리, 향리, 노비 등으로 구성된 예비군

4) 교통과 통신 제도

① 역참제 : 말을 이용하여 물자 수송과 통신 담당(파발)

② 봉수제 : 횃불이나 연기를 이용하여 국경 지역의 군사적 위급 사태 연락

③ 조운제 : 수로를 이용한 조세 운반 제도

3. 관리 등용 제도

1) 과거 제도

① 응시 자격 – 양인(천민이 아니면 가능)

② 과거 종류

㉠ 문과

· 특징 : 정기 시험(3년마다 보는 식년시), 별시(증광시, 알성시 등), 제한을 받는 자 존재

· 소과 : 예비 시험으로 진사나 생원을 선발, 합격자는 성균관에 입교 자격

· 대과 : 문관 선발 시험, 초시 → 복시 → 전시로 진행하며 3차에 걸쳐 관리 선발

㉡ 무과 : 무관 선발 시험

㉢ 잡과 : 기술관 선발 시험, 분야별 해당 관청에서 관리

2) 특별 임용제

① 천거 : 기존 관리 대상으로 추천제

② 음서 : 2품 이상 관리의 자손을 무시험으로 임용, 문과에 합격하지 않으면 고관 승진 어려움

③ 취재 : 간단한 시험으로 하급 실무직에 임용

3) 인사 관리 제도

① 합리적 인사 운영과 관료적 성격 강화

② 부정 방지와 공정성 강화 – 상피제와 서경제 실시

4. 교육 제도

1) 관학

① 향교 : 중등 교육 기관
- 중앙에서 교수 파견
- 지방 교육 담당, 한양에는 4부 학당

② 성균관 : 고등 교육 기관
- 진사와 생원이 입교, 결원이 생기면 4부 학당에서 선발
- 중앙 교육 기관으로 관리 양성 기능도 포함
- 대과에 응시해 관리로 나감

2) 사학

① 서당 : 초등 교육 기관, 8~9세에 입교
② 서원 : 원래는 선현 제사 담당 기능, 학문 연구를 통한 후학 양성

02 | 사림의 등장

1. 사림의 형성과 사화

1) 사림의 형성

① 위화도 회군으로 온건파 신진 사대부와 혁명파 신진 사대부로 나뉨
- 온건파 신진 사대부 : 점진적 개혁, 고려 왕조 유지, 정몽주 → 낙향, 지방에서 학문연구 : 사림 형성
- 혁명파 신진 사대부 : 급진적 개혁, 새로운 왕조 개창, 정도전 → 조선 건국에 공로, 중앙에 관료로 성장

② 훈구와 사림

구분	훈구파	사림파
기원	혁명파 신진 사대부 계승 관학파 계승	온건파 신진 사대부 계승 사학파 계승
성장	세조 집권 이후 정치 실권 장악	성종 때 중앙 정계 본격 진출
특징	부국강병 추구 중앙집권적 정치 성향	왕도 정치 향촌 자치 추구
사상	불교와 풍수지리설에도 관대	성리학만 고수

2) 사화

① 사림의 정치적 성장

- 시작 : 성종의 훈구 세력 견제 목적으로 김종직 등을 중심으로 언관직과 전랑직으로 진출시킴
- 훈구 세력과 대립

② 사화 : 훈구 세력과 사림 세력의 대립

- ㉠ 무오사화(연산군 4) : 김일손이 김종직의 조의제문을 사초에 올리려는 것을 빌미로 사림을 제거한 사건
- ㉡ 갑자사화(연산군 10) : 연산군의 생모인 폐비 윤씨 사건과 관련된 훈구와 사림 세력 모두가 제거된 사건
- ㉢ 기묘사화(중종 14) : 조광조의 개혁 정치에 불만을 가진 훈구 세력이 조광조 일파를 제거한 사건
- ㉣ 을사사화(명종 즉위년) : 윤원형 일파인 소윤이 윤임 일파 대윤을 제거하는 과정에 사림이 피해를 본 사건

③ 조광조의 개혁 정치

- 성리학적 통치 이념 추구
- 현량과 실시, 소격서(전통신앙 주관청) 폐지, 소학 보급, 공납의 폐단 지적
- 위훈삭제 사건으로 기묘사화에서 축출

④ 사림의 세력 확대 : 을사사화 이후에 서원과 향약을 기반으로 향촌 사회에서 꾸준히 성장

2. 붕당 정치

1) 사림의 분화

① 선조 때 정치·학문적 성향에 따라 무리지어 정치하는 형태로 나타남

② 붕당 발생 : 이조전랑직 천거로 붕당 형성

- 동인 : 김효원 중심의 신진 사림 – 원칙에 철저, 척신 정치 개혁 주장, 이황 계열
- 서인 : 심의겸 중심의 기성 사림 – 척신 정치 개혁에 소극적, 이이 계열

2) 붕당의 성격

① 붕당의 기능

- 공론을 중시, 정치 참여 확대
- 견제와 균형 원리의 정치 추구

② 한계 : 국론 분열과 왕권 약화

3. 성리학적 사회 질서 확산

1) 서원

① 기능

- 이름난 선비 · 공신 숭배 및 덕행 추모 제사
- 지방 유생의 학문 연구, 후학 양성, 사림의 공론 형성

② 백운동 서원(→ 소수 서원) : 최초의 서원, 16C 풍기 군수 주세붕이 세움

2) 향약의 보급

① 시작 : 조광조 등이 전통적인 공동체에 유교 윤리를 가미하여 만든 향촌 자치 조직

② 역할 : 향촌 사회 풍속 교정, 질서 유지 및 치안 담당

③ 사림의 역할 : 향약의 조직과 운영 주도, 향약을 중심으로 향촌 사회 장악

Exercises

Upgrade History 　확 ▪ 인 ▪ 학 ▪ 습

01 태종은 (　　　　　)를 통해서 왕권을 강화하여 국왕 중심의 통치 체제를 강화하였다.

02 성종 때는 조선의 기본 법전인 (　　　　　)을 반포하였다.

03 권력의 부정과 독점을 방지하기 위해 (　　　)를 두어 왕권을 견제하였다.

04 조선은 지방관의 부정을 방지하기 위해 자신의 출신지에 부임을 금지하는 (　　　)를 시행하였다.

05 16세기 지배 세력인 (　　　)은 왕도정치와 향촌자치를 주장하였다.

06 중종 때 중용된 (　　　　　)는 위훈삭제 등 개혁 정치를 추진하다가 기묘 사화로 축출되었다.

07 사림은 (　　　　)과 (　　　　)을 통해 향촌 사회를 지배하였다.

정답　1. 6조 직계제　2. 경국대전　3. 3사(삼사)　4. 상피제　5. 사림　6. 조광조 7. 서원, 향약

02 조선 전기의 대외 관계와 양난

01 | 조선 전기 대외 관계

1. 사대교린 정책

1) 명과의 관계 : 사대 정책

① 자주적 실리 외교, 선진 문화 수용

② 목적

 – 국가 안전을 보장 받기 위한 정치적 목적

 – 선진 문화 수입과 물품 교환의 실리적 목적

2) 여진, 일본과의 관계 : 교린 정책

① 여진

 ㉠ 강경책

  · 4군6진 개척 : 압록강과 두만강에 이르는 국경선 확정, 토관 제도

  · 사민 정책 : 삼남 주민 이주

 ㉡ 회유책 : 국경에 무역소 설치

② 일본

 ㉠ 강경책 : 이종무의 쓰시마섬 정벌

 ㉡ 회유책 : 3포 개항, 계해약조 체결(무역 허용)

③ 동남아시아와의 관계 : 류큐, 시암, 자와에서 토산물을 진상 형식으로 교환

2. 임진왜란(1592~1598)

1) 임진왜란 발발

① 전쟁의 발발 : 도요토미 히데요시가 일본 전국 전쟁을 끝내고 조선을 침략

② 경과 : 조선은 처음에 방어 미비로 전국이 피해, 명에 원군 요청

2) 수군과 의병의 활약

① 이순신의 활약

 – 전라도 곡창 지대 보호

 – 남해 제해권 장악

 – 일본의 수륙 병진 작전 저지

② 의병의 활약

　　－ 향토 지리에 밝은 점을 이용

　　－ 의병장 : 조헌, 고경명, 김천일, 곽재우, 휴정, 유정

3) 임진왜란의 영향

① 국내(조선)

　　－ 많은 인명 피해, 호적과 토지 대장 상실, 국토 황폐화

　　－ 신분제 동요 : 납속과 공명첩 발행

　　－ 경복궁과 불국사 소실

② 일본

　　－ 정권 교체 : 도요토미 가문 몰락 → 도쿠가와 이에야스의 에도 막부 성립

　　－ 문화 발달 : 도자기, 성리학 발달

③ 명 : 파병으로 인한 막대한 비용과 정치 혼란, 국력 쇠퇴

④ 여진 : 세력이 성장하여 후금을 세움 － 명과 조선을 위협

02 | 병자호란

1. 광해군의 중립외교

1) 중립외교 배경

① 왜란 이후 명의 세력 약화

② 여진족의 부족 통일 및 성장(후금) → 조선 위협

2) 광해군의 정책

① 국내 : 전후 복구 정책

　　－ 토지 대장(양안) 정리, 호적 정리, 사서 복구

　　－ 「동의보감」(허준) 편찬

　　－ 경기도에 최초로 대동법 실시

② 중립외교 정책

　　－ 명과 후금 사이에 중립외교 정책

　　－ 인조반정의 빌미

③ 인조반정

　　－ 배경 : 광해군의 중립외교 정책 불만, '폐모 살제'의 명분

　　－ 외교 정책 전환 : 명에 대한 의리와 명분 강조, 서인의 친명배금 정책 실시

2. 병자호란

1) 서인정권의 외교 정책

① 친명배금 정책 : 인조 즉위 후 서인 정권은 외교 정책 수정

② 후금은 조선의 외교 정책에 불만을 갖고 이괄의 난을 이유로 조선을 침략(정묘호란; 1627)

③ 형제의 맹약을 맺고 화의 성립

2) 병자호란(1636)

① 배경 : 후금이 청으로 국호를 바꾸고 조선에 군신관계 요구

② 조선은 주전파와 주화파로 대립 → 주전파 우세로 청의 요구 거절

③ 병자호란 : 청의 조선 침입

    – 남한산성으로 들어가 항전

    – 45일만에 송파 삼전도에서 굴욕적인 항복 : 군신관계 수용

    – 세자를 비롯한 대신과 많은 사람들이 인질로 끌려감

3) 북벌운동 전개

① 청과는 표면적으로는 군신관계이나 실질적으로 북벌운동 시도

② 효종, 송시열, 이완 등이 준비했으나 이루지 못함

▲ 임진왜란 해전도

▲ 관군과 의병의 활약

▲ 정묘호란과 병자호란

Exercises

01　세종은 여진에 대해서 강경책으로 (　　　　　) 개척을 통해서 영토를 확장하였다.

02　임진왜란 이후 재정 확보를 위한 (　　　)과 (　　　　)은 신분제를 동요시키는 원인이었다.

03　광해군은 명과 후금 사이에서 (　　　　　　)를 통해 명분과 실리를 모두 추구하려 하였다.

04　청이 조선을 침입한 병자호란으로 인조는 (　　　　　)으로 옮겨 항전을 하였으나 실패하였다.

05　삼전도 굴욕 이후 청에 대한 적개심과 복수심으로 효종은 (　　　　　)을 전개하였다.

정답　1. 4군 6진　2. 납속, 공명첩　3. 중립외교　4. 남한산성　5. 북벌운동

03 조선 전기의 경제, 사회, 문화

01 | 조선 전기 경제

1. 경제 정책과 토지 제도

1) 경제 정책

① 농본주의 정책 : 국가 재정 확충과 민생 안정 도모

② 상공업 통제 정책 : 사치와 낭비 방지, 유교적 경제관

2) 토지 제도 : 수조권 지급

① 과전법(태조)

- 고려 말 신진 사대부의 경제 기반 확보
- 경기도에 한하여 관리에게 지급
- 전·현직 관리 모두에 지급, 사망 시 국가에 반납
- 수신전과 휼양전으로 예외적 세습

② 직전법(세조)

- 현직 관리만을 대상으로 토지 지급
- 수신전과 휼양전 폐지

③ 관수관급제(성종)

- 국가가 수조권 대행, 양반 관료의 과다 수취 방지
- 국가의 토지 지배력 강화

④ 직전법 폐지(명종)

- 지급 토지 부족, 직전법 폐지
- 녹봉제 실시, 지주전호제 발달

2. 수취 제도와 경제 활동

1) 조선 전기 수취 제도 확립

① 조세(전세)

- 토지 소유자 부담
- 세종 때 전분 6등법과 연분 9등법 시행

② 공물(공납)

 - 가호마다 토산물 부과, 군현 단위로 필요 물품 부과

 - 저장과 수송에 어려움 → 방납 발생

③ 역 - 16세~60세 미만 양인 남자

 - 군역 : 정군과 보인으로 군역 수행, 16세기 이후 방군수포 시행

 - 요역 : 토지 8결당 1인 차출, 1년 6일 이내 제한 → 임의 징발, 농민 반발

2) 조선 전기 경제 활동

① 농업

 - 남부 일부 모내기, 시비법 발달로 휴경지 소멸

 - 농서 :「농사직설」(최초의 농서), 금양잡록

② 수공업 : 관영 수공업

③ 상업

 - 시전 상인 중심, 경시서 설치, 장시 시작

 - 화폐 유통 부진 : 저화(종이 화폐), 조선통보

 - 공무역 중심

02 | 조선 전기 사회

1. 조선의 신분 제도

1) 양천제도

① 법적인 신분제 : 양천제

② 양인 : 자유민, 조세 · 공납 · 역의 의무, 과거 응시 가능

③ 천인 : 비자유인, 국가나 개인에 소속되어 각종 천한 일 담당, 대부분 노비

2) 사회적 신분 제도

① 양반 : 문반과 무반직의 현직 관리 → 차츰 관직을 가질 수 있는 신분과 가문 의미

 - 군역 면제, 관직 진출 후 고위 관직 독차지 : 정치적 특권 누림

 - 과전, 녹봉, 토지와 노비 소유 : 경제적 부유층

② 중인 : 기술관, 서리, 향리, 서얼 등

 - 직역 세습, 잡과 응시

 - 서얼 : 양반 첩의 자식으로서 문과 응시 불가

③ 상민 : 농민, 상인, 수공업자, 신량역천
- 농민 : 상민 대다수, 전세·공납·역의 의무, 과거 응시 가능
- 수공업자 : 일정 기간 관청에 등록되어 수공업 생산
- 상인 : 농본억상 정책으로 농민보다 대우 낮음
- 신량역천 : 신분은 양인이지만 하는 일이 천역에 종사; 수군, 나장, 역졸, 조졸, 봉수군, 일수, 조례
④ 천민 : 노비, 백정, 재인, 창기, 무당
- 천민 대다수가 노비, 노비는 재산으로 간주, 부모 중 한 쪽이 노비면 노비
- 노비도 가족을 이루고 재산 소유 가능

2. 사회 정책과 사회 시설
1) 사회 정책
① 농본 정책 : 농민 생활 안정 추구, 농번기에 농민 동원 금지, 재해 시 조세 감면
② 사회 제도
㉠ 빈민 구제 : 환곡제(의창, 상평창), 사창제
㉡ 의료 및 구휼 시설
· 혜민국과 동·서대비원 : 서민 환자 구제, 약재 판매
· 제생원 : 지방민의 구호 및 진료
· 동·서 활인서 : 유랑자의 수용과 구휼
2) 법률 제도
① 운영 : 경국대전과 대명률 등의 법전에 의거
② 강상죄와 반역죄를 중죄로 처벌, 형벌은 태·장·도·유·사 등 5종 시행
③ 사법 기구
- 중앙 : 사헌부, 의금부, 한성부, 장례원(노비 관련 문제)
- 지방 : 수령과 관찰사가 지역 내 사법권 행사

03 | 조선 전기 문화

1. 민족 문화의 발달
1) 훈민정음 창제
① 세종 때 우리 고유 문자의 필요성을 인식하여 창제
② 한문 생활을 보조하는 데 그침

2) 역사서

  ① 고려사(기전체), 고려사절요(편년체)

  ② 동국통감(성종, 단군 조선을 국가의 시작으로 확립, 통사체)

3) 지도와 지리서

  ① 목적 : 중앙 집권과 국방 강화 목적

  ② 지도 : 혼일강리역대국도지도(태종, 세계지도), 팔도도, 동국지도

  ③ 지리지 : 신찬팔도지리지(세종실록 지리지), 동국여지승람(성종)

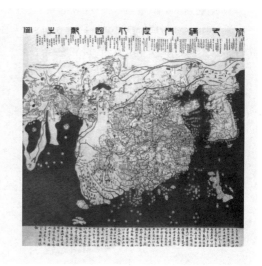

혼일강리역대국도지도

현존 동양 최고의 세계 지도로서 중국 중심의 세계관이 잘 나타나 있다. 그리고 우리나라가 아프리카 대륙보다 크게 그려져 중국 다음의 세계 중심국임을 나타내어 당시의 우리의 세계관을 엿볼 수 있다.

4) 법전과 의례서

  ① 법전 : 경국대전(성종, 조선의 기본 법전)

  ② 의례서 : 삼강행실도(세종, 유교 윤리서), 국조오례의(성종, 국가의례서)

2. 성리학의 발달

1) 성리학의 수용

  ① 소개 : 고려 말 원에서 전래되어 안향이 소개

  ② 수용 : 신진 사대부에 수용되어 조선의 기본 사상으로 발전

  ③ 내용 : 우주 만물의 이치와 인간의 본성 탐구를 통한 사회문제 해결책 탐구

2) 학자

　① 퇴계 이황 : 근본 원리 중시(이 중심), 영남학파 형성, 도산 서원, 일본 성리학에 영
　　　향,「주자서절요」,「성학십도」

　② 율곡 이이 : 현실과 경험 중시(기 역할 강조), 사회개혁 주장, '십만양병설', '수미
　　　법', '향약 실시',「동호문답」,「성학집요」

3. 과학 기술 발달

1) 천문과 역법 발달 : 부국강병과 민생 안정 목적

　① 측정 기구 : 천체 관측(혼의, 간의), 시간 측정(자격루, 앙부일구), 강우량 측정(측우
　　　기), 토지 측량(인지의, 규형)

▲ 측우기

▲ 자격루

　② 기타 : 천상열차분야지도(태조, 고구려 천문도 바탕으로 한 별자리), 칠정산(세종, 한
　　　양을 기준으로 한 최초의 역법서)

2) 의학 : 향약집성방, 의방유취

3) 활자 : 계미자, 갑인자

4) 병서와 무기 : 병서(총통등록, 동국병감), 신기전, 거북선(태종)

4. 건축과 예술

구분	15세기	16세기
그림	· 성리학 외에 도교와 노장 분위기 반영 · 안견의 몽유도원도, 강희안의 고사관수도	· 성리학을 중시한 사림의 분위기 반영 · 이정의 대나무, 어몽룡의 매화 그림

구분	15세기	16세기
공예	분청사기	백자
건축	궁궐, 관아, 성곽, 학교 등	서원 건축 – 자연과 조화
한문학	· 한시 등 양반 중심 한문학 발달 · 한글이 보급되면서 시조, 가사 문학 발달 – 시조 : 황진희, 윤선도 – 가사 문학 : 송순, 정철	

▨ 15세기 문화

▲ 고사관수도

▲ 몽유도원도

▲ 분청사기

▨ 16세기 문화

▲ 백자

▲ 초충도(신사임당)

▲ 묵죽도

▲ 소수서원

Exercises

01 세조 때는 현직 관리에게만 토지를 지급하는 (　　　　　)이 시행되었다.

02 토산물을 바치는 세금인 (　　　　　)은 집집마다 내야하기 때문에 가난한 농민에게는 부담이 되었다.

03 좁은 의미로 기술직 관리를 의미하는 (　　　　)은 직역을 세습하였다.

04 세종 때 한양을 기준으로 하는 역법서인 (　　　　)이 만들어졌다.

05 성종 때 조선의 기본 법전인 (　　　　)이 완성되어 통치규범의 성문화를 이루었다.

06 현실과 경험을 중시하는 성리학자 (　　　)는 사회개혁론을 주장하였다.

07 15C를 대표하는 자기 공예는 (　　　　)이고, 16C를 대표하는 자기 공예는 (　　　　)이다.

정답　1. 직전법　　2. 공납　　3. 중인　　4. 칠정산　　5. 경국대전　　6. 이이
7. 분청사기, 백자

V

조선 사회의
변화

UPGRADE · HISTORY

조선 후기 정치 구조 변화

01 | 정치 구조와 붕당 정치의 변화

1. 정치 구조의 변화

1) 비변사 강화

① 조선 초(중종)에 국방문제 즉 여진족과 왜구의 문제를 다루는 임시 기구로 설치

② 을묘왜변(명종) 이후로 상설화

③ 임진왜란 이후 국정을 총괄하는 조선 후기 최고 회의 기구

④ 비변사의 강화 → 의정부와 6조 중심의 행정 체계 유명무실, 왕권 약화

2) 군사제도 변화

① 중앙군 : 5위 → 5군영

  – 임진왜란 중 훈련도감 설치

  – 후금(청)과의 항쟁 과정에서 어영청, 총융청, 수어청 설치

  – 숙종 때 금위영 설치로 5군영 체제 완성

> **훈련도감**
>
> 5군영의 핵심 부대로 임진왜란 때 왜군의 주력 무기인 조총에 대항하기 위하여 기존의 활과 창 부대 외에 조총으로 무장한 삼수병으로 구성하여 설치하였다. 훈련도감은 직업 군인으로 급료를 받는 급료병이었다.

② 지방군 : 속오군 체제

  – 양반에서 노비에 이르기까지 모든 신분으로 편제

  – 평상시에 생업에 종사, 유사시에 전투에 동원되는 일종의 예비군 성격

2. 붕당 정치의 변화

1) 붕당 정치의 전개

① 선조 : 동인과 서인으로 붕당, 정여립 모반 사건으로 동인 세력이 남인과 북인으로 분화

② 광해군 : 북인 집권, 인조반정으로 광해군과 함께 북인 세력 축출

③ 인조 : 서인의 권력 장악, 남인과 연합하여 정국 운영

④ 현종 : 왕실의 복상 문제로 2차례 예송 논쟁 발생, 서인과 남인의 대립 격화

2) **붕당 정치의 변질**

① 환국 발생

– 숙종 때 집권 정당이 급속히 바뀌는 환국 발생

– 일당 전제화 추세 : 서인과 남인의 공조 체제 붕괴, 상대당의 존재를 인정하지 않음

– 왕실 외척이나 종친의 정치적 비중 확대, 비변사 기능 강화

② 탕평론 대두

– 배경 : 붕당 정치의 변질, 정치 집단 간의 세력 균형 붕괴, 왕권 약화

– 숙종 때 제기되었으나 편당적인 인사관리로 환국 정치 초래

예송(禮訟) 논쟁

효종과 효종비가 죽은 후 효종의 계모인 자의대비가 적장자에 준하는 상복을 입을 것인지를 둘러싸고 두 차례 일어난 서인과 남인 간의 논쟁. 장남이 아닌 차남으로 왕위를 이은 효종의 정통성과 관련이 있다.

환국(換局)

붕당 간의 정권 교체로 정국이 급격히 바뀌는 것을 의미한다. 숙종 때에는 경신환국(1680), 기사환국(1689), 갑술환국(1694)이 일어나 정국 주도 세력이 바뀌었고, 그때마다 상대방에 대한 보복이 이루어졌다.

3. 탕평 정치

1) **영조의 탕평 정치**

① 목적 : 정국 안정과 왕권 강화 추구

– 탕평 교서 발표, 탕평파 중심 정국 운영

– 산림 존재 인정 안함, 서원 정리

– 이조전랑의 권한 약화 : 후임자 천거권과 3사 관리 인사권 폐지

② 개혁 정치 : 균역법 시행(1750), 가혹한 형벌 폐지, 속대전 편찬

2) 정조의 탕평 정치

① 왕권 강화
- 규장각 육성, 초계문신제 실시, 장용영 설치
- 수원 화성 축조, 수령 권한 강화

② 적극적 탕평책
- 각 붕당의 옳고 그름을 가림
- 소론과 남인 계열 등용

③ 개혁 정치
- 서얼과 노비에 대한 차별 완화
- 상공업 진흥(통공정책 실시)
- 대전통편 편찬

▲ 정조의 화성 행차도

3) 탕평 정치 한계

① 강력한 왕권으로 붕당 간의 다툼을 일시적으로 억제한 것
② 국왕의 개인 역량에 의존한 개혁 정치로 지속적 유지가 어려움

02 | 세도 정치

1. 세도 정치 전개

1) 세도 정치

① 의미 : 특정인 또는 특정 가문이 왕의 신임을 받아 일체의 정치를 행하는 신임 정치로 실제로는 외척에 의한 권력이 집중되는 비정상적인 정치 형태로 나타남
② 배경 : 정조 사후에 정치 세력 간 균형 붕괴와 왕권 약화
③ 전개 : 순조(안동 김씨), 헌종(풍양 조씨), 철종(안동 김씨) 등 63년 간 세도 정치가 이어짐

2) 권력 구조

① 붕당의 대립 구조 소멸, 세도 가문에 의한 권력 독점
② 비변사 기능 강화, 왕권 약화
③ 과거제 운영과 관련한 각종 부정 발생, 매관매직 성행

2. 삼정의 문란

1) 삼정의 문란

① 전정 : 원래 내는 세금에 각종 잡세를 추가 부과

② 군정 : 백골징포, 강년채, 황구첨정, 족징, 인징 등 부정 수급 행위 발생

③ 환곡 : 가난한 농민을 구제하는 것이 아닌 고리대로 변질

2) 농민 봉기

① 원인 : 삼정의 문란

② 농민의 저항 : 벽서, 세금 납부 거부, 항의 시위 등

③ 홍경래의 난(1811)

    – 배경 : 평안도 지역에 대한 차별 대우

    – 홍경래 등의 몰락 양반, 광산 노동자, 농 민 등 참여

    – 청천강 이북 점령 → 정주성 싸움에서 관군에 전멸

④ 임술 농민 봉기(1862)

    – 진주 농민 봉기 발발 : 백낙신의 수탈에 반발

    – 제주도부터 함경도에 이르는 전국적 농 민 봉기 확산

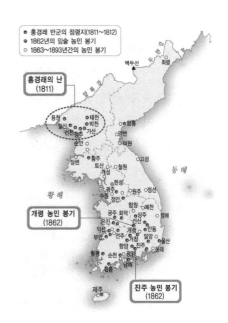

- 홍경래 반군의 점령지(1811~1812)
- 1862년의 임술 농민 봉기
- 1863~1893년간의 농민 봉기

홍경래의 난 (1811)

개령 농민 봉기 (1862)

진주 농민 봉기 (1862)

3) 대책 : 암행어사 파견, 삼정이정청 설치 – 근본적인 대책을 강구하지 못함

---

03 | 조선 후기 대외 관계

1. 청과 관계

1) 청과의 교류 : 표면상 사대관계, 내심은 청에 적개심 유지

2) 북벌론

① 효종의 북벌 준비 : 송시열, 이완 등 등용

② 서인 정권의 유지 수단, 민심 수습과 국방력 강화에 기여

3) 청과의 국경 분쟁

① 간도를 둘러싼 국경 분쟁

② 백두산 정계비 건립(1712) : 압록강과 토문강을 경계로 삼음

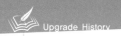

2. 일본과 관계

1) 국교 재개

① 일본 도쿠가와 막부의 요청

② 유정(사명대사) 파견, 일본과 강화 및 포로 송환

③ 기유약조(1609) 체결로 국교 재개 : 왜관 설치, 제한된 범위에서 교섭 허용

2) 통신사 파견

① 막부의 권위를 국제적으로 인정받기 위한 일본의 요청에 의해 파견

② 조선의 선진 학문과 기술이 일본에 전파되는 계기

3) 울릉도와 독도

① 삼국시대 신라 지증왕 때 우산국(울릉도) 복속

② 숙종 때 안용복이 일본 어민의 잦은 출몰로 일본에 가서 담판을 짓고 울릉도와 독도
가 우리 영토임을 확인 받음

③ 19세기 말 조선 정부도 적극적으로 울릉도를 관리하여 독도를 관할함

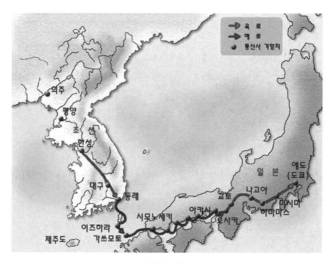

▲ 통신사 행로

Exercises

01 초기에는 국방문제를 논의하는 임시 기구였던 (　　　)는 임진왜란 이후 국정 전반을 논의하는 최고 회의 기구로 강화되었다.

02 5군영의 핵심기구로 임진왜란 중에 설치된 (　　　)은 삼수병으로 구성되었다.

03 영조는 (　　　)를 실시하여 붕당을 억제하고 서원을 정리하였다.

04 정조는 왕권강화를 위해 규장각을 설치하고 호위부대인 (　　　)을 만들었다.

05 순조 ~ 철종까지 63년 간 왕의 외척 가문이 권력을 독점하는 (　　　)가 나타났다.

06 임진왜란 이후 조선은 일본에 문화 외교 사절단 (　　　)를 파견하여 우리 문화를 전파했다.

07 조선과 청 사이에 국경을 확정하기 위해서 (　　　)가 세워졌다.

08 평안도에 대한 차별 대우에 불만을 갖고 평안도 가산에서 (　　　)이 일어났다.

정답　1. 비변사　　2. 훈련도감　　3. 탕평정치　　4. 장용영　　5. 세도정치　　6. 통신사
　　　7. 백두산정계비　　8. 홍경래의 난

조선 후기 경제 변화

01 | 조선 후기 수취체제 개편

1. 농촌 사회의 동요

1) 수취체제 개편 배경

① 양 난 이후 경작지 황폐화, 기근과 질병으로 농민 생활 악화

② 과중한 조세 부담과 지배층의 민생 문제 외면

③ 농민들의 불만 고조

2) 수취체제 개편

① 전세, 공납, 군역 개편

② 농촌 사회 안정, 재정 기반 확대 도모

2. 수취체제 개편

1) **영정법(인조)** : 전세의 정액화

① 배경 : 농토의 황폐화, 연분 9등법의 공법 문란, 농민의 고통 증가

② 영정법 시행(1635: 인조) : 풍흉에 관계없이 1결당 쌀 4~6두로 고정

③ 결과 : 대다수 농민에게 도움이 되지 못함, 여러 명목의 수수료 부과로 농민 부담 과중

2) **대동법(광해군 시작)** : 공납의 전세화

① 배경 – 방납의 폐단, 농민의 토지 이탈, 국가 재정 악화

② 내용

- 토지 1결당 쌀 12두, 삼베나 면포, 동전으로 납부

- 광해군 때 경기도를 시작으로 숙종 때 전국적 확대

- 지주와 방납업자의 반발이 심해 전국적 확대에 100년 소요

③ 대동법의 영향

- 공인의 등장, 상공업 발달, 상품화폐 경제 발달

- 농민의 부담 감소

- 진상이나 별공은 여전히 존재

방납

백성들이 직접 현물(토산물)로 납부하던 공납을 방납인들이 대신 납부하고, 그 대가를 요구하는 형태이다. 그런데 그 대가가 엄청나게 많은 값으로 농민들의 공납 부담이 크게 늘어났다.

공인

대동법이 시행되면서 국가에 물품을 조달하는 상인인 공인이 등장하였다. 국가는 대동미로 물품의 값을 지급하였다.

3) 균역법(영조) : 군역의 개혁

① 배경
- 양난 이후 직업군인 증가, 농민의 군포 부담 가중
- 무리한 군포 징수 : 백골징포, 황구첨정, 인징, 족징 등

② 내용
- 군포를 1년에 2필에서 면포 1필로 줄임
- 결작 1결당 쌀 2두, 선무군관포, 어장세, 선박세, 소금세 등 보충

③ 영향
- 일시적인 농민 부담 감소
- 지주들의 결작을 농민에게 전가 → 농민 부담 가중

결작 : 토지 소유자인 지주에게 토지 1결당 쌀 2두를 납부하게 한 제도이다.

선무군관포

경제력을 바탕으로 수령이나 향리와 결탁하여 향촌에서 사대부로 행세하면서 군역을 피하고 있던 자들이 있었다. 국가는 이들에게 선무군관이라는 무반의 명목을 주고 군포를 내도록 하였다.

02 | 조선 후기 산업 발달

1. 농업의 발달

1) 모내기법(이앙법)의 전국적 확대

① 모내기법의 확대

② 노동력 절감, 벼와 보리의 이모작 증가

③ 광작의 성행 : 부농과 빈농으로 농민의 계층 분화

2) 작물 재배 변화

① 상품 작물 재배 : 담배, 인삼, 목화, 채소 등 상품 판매를 목적으로 작물 재배

② 구황 작물 재배 : 가뭄과 기근에 대비하여 고구마와 감자 재배

광작

모내기법의 보급으로 노동력이 절감하자 1인당 경작할 수 있는 경지 면적이 확대되어 부지런한 자들은 더 많은 농지를 경작할 수 있었다. 하지만 그렇지 못한 농민은 경지를 얻기 힘들어 농촌을 떠나 임노동자나 영세상공업자로 전락하였다.

---

2. 수공업과 광업

1) 민영 수공업의 발달

① 배경

- 상품 화폐 경제의 발달

- 대동법 실시로 상품 수요 증가

② 민영 수공업

- 장인세만 납부하면 자유롭게 생산 활동에 종사

- 선대제 수공업, 독립 수공업

2) 민영 광산 증가

① 배경 : 수공업 발달에 따른 수요 증가, 청과의 무역으로 금 · 은 수요 증가

② 민간인에게 광산 채굴 허용(사채), 잠채 성행

③ 덕대제 : 상인이 물주가 되어 자금을 투자하고 덕대는 광산 운영의 책임을 지는 협업 출현

3. 상품 화폐 경제 발달

1) 사상의 성장

① 상품 유통 확대

- 농업 생산력 증대, 수공업 생산 활발, 광업 생산 활발 : 시장 경제 활성화
- 공인과 사상의 활동 : 대규모 자본을 이용한 공인과 사상들의 도고 행위를 통한 물품 거래

② 대표 사상

- 송상(개성상인) : 전국에 지점(송방) 설치, 인삼 재배 및 판매 독점권, 대외 무역 관여
- 경강 상인 : 한강을 중심으로 미곡, 어물, 소금을 판매

2) 장시 발달

① 15세기 말 전주에서 처음 시작하여 18세기에 1000개의 장시가 개설

② 보부상 : 장날의 차이를 이용하여 여러 장시를 하나의 유통망으로 연결시킴

③ 장시의 역할

- 지방민의 교역 장소, 5일마다 장시 개설
- 지역적 시장권 형성, 일부는 상설 시장화

④ 대표적 장시 : 서울의 칠패 · 이현, 전라도 전주, 경상도 대구

3) 포구에서 상업 활동

① 18세기 상업의 중심지로 성장

② 포구 상인

- 선상 : 선박을 이용하여 지방의 물품을 구매하여 포구에서 처분
- 객주와 여각 : 숙박업, 상품의 보관과 중개, 금융업, 물품 운송 등의 영업

4) 대외무역 발달

① 청과 무역 : 17세기 중엽 이후 국경지대 중심으로 개시(공무역)와 후시(사무역) 성행

② 일본과 무역 : 17세기 후반 왜관 개시를 통해 활발

③ 주요 상인 : 의주의 만상(대중국 무역 주도), 동래의 내상(대일본 무역 주도), 송상(만상과 내상 중계)

5) 화폐 유통

① 배경 : 상품 화폐 경제 발달, 상평통보 제작, 세금과 소작료의 동전 대납

② 화폐 유통 : 교환의 수단인 동시에 재산 축적의 수단, 전황 발생

③ 신용 화폐 사용 : 환 · 어음 보급

상평통보

Exercises

01 방납의 폐단을 시정하기 위하여 광해군 때 토산물을 쌀로 거두어들이는 (   )이 경기도에서 시행되었다.

02 군역의 폐단으로 인한 농민의 부담을 줄이고자 영조는 (   )을 시행하여 1년 1필의 면포를 내게 하였다.

03 이앙법의 보급으로 노동력이 절감되어 1인당 경지 면적이 확대되는 (   )이 성행하였다.

04 한강을 중심으로 장사하는 (   )은 미곡, 어물, 소금 등을 거래하였다.

05 조선 후기 상품화폐 경제 발달로 (   )가 널리 사용되었다.

정답 1. 대동법   2. 균역법   3. 광작   4. 경강상인   5. 상평통보

01 | 신분제 동요

1. 사회 구조의 변화

  1) 신분제의 동요

    ① 양반층

      – 붕당의 변질, 일당 전제화로 다수의 양반 몰락

      – 양반층의 분화 : 권반, 향반, 잔반(몰락 양반)

    ② 농민층 : 사회·경제적 변화로 역의 부담에서 벗어나기 위해 신분을 사거나 족보 위조·매입

    ③ 특징 : 양반 수의 급격한 증가와 상민과 노비의 수 감소, 양반 중심의 신분제 동요

  2) 중간 계층의 신분 상승

    ① 서얼

      – 납속과 공명첩으로 관직 진출

      – 정조 때 서얼 차별 완화로 유득공, 이덕무, 박제가 등이 규장각 검서관으로 등용

    ② 중인(기술직)

      – 기술직에 종사하여 축적한 재산과 실무 경력을 바탕으로 신분 상승 추구

      – 역관 : 외래 문화 수용에 선구적인 역할 수행, 성리학적 질서에 도전하는 새로운 사회 추구

  3) 노비의 해방

    ① 납속과 공명첩 외에도 군공, 도망 등을 통해서 신분을 상승시켜 나감

    ② 공노비 해방 : 순조(1801) 때 중앙 관청의 노비 해방

    ③ 사노비 해방 : 갑오개혁(1894) 때 노비 세습제 폐지 → 신분제 폐지

> 납속 : 곡물을 나라에 바치고 벼슬을 얻거나, 천인의 신분을 면제시켜 주는 제도이다.
>
> **공명첩**
> 이름이 적히지 않은 명예직 임명장으로 구입할 경우 벼슬을 얻거나 신분을 상승시킬 수 있었다.

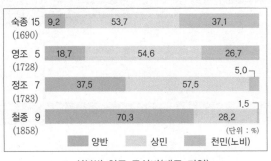

숙종 15 (1690)	9.2	53.7	37.1
영조 5 (1728)	18.7	54.6	26.7
정조 7 (1783)	37.5	57.5	5.0
철종 9 (1858)	70.3	28.2	1.5

양반　상민　천민(노비)　　(단위 : %)

▲ 신분별 인구 구성비(대구 지역)

▲ 공명첩

4) 가족 제도의 변화

① 조선 후기 가족 제도

　　㉠ 특징 : 부계 중심의 가족 제도 강화

　　㉡ 내용

　　　　· 친영 제도 정착 : 여자가 혼인 후 곧바로 남자 집에서 생활하는 혼인 형태

　　　　· 재산 상속에서 장남 우대, 부모의 봉양과 제사는 장남 책임

　　　　· 아들이 없는 경우 양자 입양, 동성 마을 형성

　　　　· 효와 정절 강조 : 효자와 열녀 표창, 과부 재가 금지

② 혼인의 형태

　　– 일부일처제가 원칙이지만 첩 허용

　　– 처와 첩을 엄격히 구별

　　– 적서 차별 : 서얼의 문과 응시 제한, 제사와 상속 등에서도 차별

2. 향촌 질서의 변화

1) 양반의 향촌 지배 약화

① 배경 : 농민과 천민 중에 부농층 등장, 전호나 임노동자로 전락한 양반 등장

② 양반 지위 유지 노력 : 촌락 단위의 동약 실시, 문중 중심의 사우와 서원 건립

③ 부농층의 성장

　　– 관권과 결탁 : 정부의 조세 수취 운영에 참여, 향임직에 진출

　　– 향전 발생 : 신향들이 향안에 이름을 올리고 향회 장악을 시도하면서 구향과 신향
　　　의 충돌

2) 농민층의 분화

   ① 부농층의 성장

      – 일반 농민 중에 농지 면적의 확대, 영농 방법 개선을 통해 부를 축적하여 지주로 성장

      – 양반 신분 획득 : 공명첩을 사거나 족보 위조를 통하여 신분 상승

   ② 임노동자 출현 : 일부 농민은 토지에서 밀려나 국가나 관청에서 노임을 받고 부역 또는 부농층에 고용

3) 수령의 강화

   ① 수령과 부농층의 결탁 : 부농층의 성장 욕구와 재정 위기를 타개하려는 정부와 이해 일치로 향직 매매 허용

   ② 수령과 향리의 권한 강화

      – 기존의 향촌 양반들의 지배 영역까지 장악, 향회는 부세 자문 기구로 변화

      – 수령과 향리의 권한 강화는 농민 수탈이 강화되는 결과 초래

02 | 사회 변혁의 움직임

1. 새로운 사상 등장

1) 사회 불안과 예언 사상 대두

   ① 농민 경제 파탄 : 지배층의 수탈, 자연 재해와 질병 유행

   ② 사회 불안 심화 : 이양선 출몰, 비기와 도참설 확산

   ③ 무격 신앙과 미륵 신앙 확산 : 현세의 고난 구제

2) 천주교 전파

   ① 전래 : 17세기에 서학으로 소개된 이후 18세기 남인 계열 실학자들이 신앙으로 수용

   ② 확산 : 인간평등 사상과 내세 사상을 기반으로 재야 양반과 중인, 여성들 사이 확산

   ③ 정부의 탄압

      – 조상에 대한 제사 거부를 양반 중심의 신분질서 부정, 국왕의 권위에 도전으로 인식

      – 천주교 박해 : 천주교를 사교로 규정하여 많은 신자와 김대건 신부 등 처형

3) 동학의 발생

   ① 창시 : 천주교의 확산에 반대하며 경주 출신 최제우가 창도(1860)

   ② 교리 : 유교, 불교, 도교의 중요 내용과 민간 신앙 결합

③ 사상 : 하늘 숭배(시천주), 인내천(인간 존중, 인간 평등) 사상, 후천 개벽

④ 탄압 : 최제우 처형 – 세상을 어지럽히고 백성들을 현혹한다는 이유로 처형

⑤ 확산 : 최시형의 교리 정리(동경대전, 용담유사), 전국적 확산

2. 농민 항거

1) 조선 후기 농민 항거의 배경

① 세도정치 시기 탐관오리의 수탈

② 극심한 삼정의 문란

③ 농민의 사회 의식 성장

2) 홍경래의 난(1811)

① 평안도 가산에서 홍경래를 중심으로 농민 봉기 발생

② 농민과 잔반, 중소 상인, 광산 노동자가 합세하여 봉기

③ 지역적 차별과 농민 수탈에 항거

3) 임술농민 봉기(1862)

① 농민들이 탐관오리와 토호의 탐학에 반대하여 봉기

② 진주에서 시작하여 전국적으로 확산

01 조선 후기에는 (   )과 (   )을 통해서 합법적으로 신분을 상승시킬 수 있었다.

02 조선 후기 남인 계열의 실학자를 통해서 서학이라 불리는 (   )가 들어왔다.

03 천주교의 확산에 반대하면서 최제우는 (   )을 창시하여 인간존중과 인간평등을 강조하였다.

04 세도정치 시기 홍경래의 난과 임술농민 봉기의 원인은 (   )이었다.

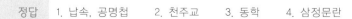

정답   1. 납속, 공명첩   2. 천주교   3. 동학   4. 삼정문란

04 조선 후기 문화

01 | 실학의 발달

1. 성리학의 변화

1) 성리학에 대한 비판

① 성리학의 교조화로 인해 사회적 문제점을 해결하지 못함

② 성리학에 대한 새로운 해석으로 사회적 문제점 지적

2) 양명학의 수용

① 성리학의 절대화와 형식화 비판

② 수용 : 17세기 소론 학자들이 연구 → 18세기 정제두에 의해 체계화(강화학파 형성)

③ 지행합일의 실천성 강조

2. 실학의 발달

1) 실학의 등장

① 배경 : 조선 후기 사회 · 경제적 변동에 따른 사회 모순의 해결책 요구

② 특징 : 민생안정과 부국강병 목표, 실용적 · 실증적 논리로 사회 개혁론 제시, 민족적이고 근대 지향적인 학문

③ 한계 : 학문적 연구에 그침, 정책에 반영 안 됨

2) 농업 중심의 개혁론(중농학파, 토지 개혁)

① 농민 생활 안정을 위한 토지 개혁 주장

② 대표 실학자

실학자	토지 개혁론	주장 내용	저서
유형원	균전론	양반문벌 제도, 과거제, 노비제 비판	반계수록
이익	한전론	나라를 좀 먹는 6가지 폐단 지적(6좀론)	성호사설
정약용	여전론, 정전론	중앙과 지방 행정 개혁, 통치자는 백성을 위해 존재	목민심서, 경세유표

3) 상공업 중심의 개혁론(중상학파, 북학파)

① 상공업 진흥과 기술 혁신, 청 문물 수용

② 대표적인 실학자

실학자	주요 주장	저서
유수원	사농공상의 직업적 평등과 전문화 강조	우서
홍대용	지전설, 중국 중심의 세계관 비판	의산문답
박지원	수레와 선박 이용, 화폐 유통 강조, 양반 문벌 제도의 비생산성 비판 – 허생전, 양반전, 호질	열하일기
박제가	청의 문물 적극 수용, 수레와 선박 이용, 절약보다 소비 강조(우물에 비유)	북학의

3. 국학 연구의 확대

1) 역사 연구

① 한백겸 '동국지리지', 이수광 '지봉유설', 안정복 '동사강목'

② 유득공 '발해고', 이종휘 '동사' : 고대 국가의 역사와 문화에 대한 관심을 환기시켰으며, 우리 역사의 무대를 만주까지 확대함

③ 이긍익 '연려실기술', 한치윤 '해동역사'

2) 지도와 지리지

① 지리지

– 동국지리지(한백겸), 아방강역고(정약용)

– 택리지(이중환) : 각 지역의 자연 환경과 물산, 풍속, 인심 등을 서술하고, 어느 지역이 살기 좋은 곳인가를 논함

② 지도

– 동국지도(정상기) : 최초로 100리척 사용

– 대동여지도(김정호) : 산맥, 하천, 포구, 도로망을 정밀하게 표시, 10리마다 눈금 표시, 목판으로 인쇄

③ 언어 : 신경준 '훈민정음운해', 유희 '언문지'

④ 백과 사전 : 지봉유설(이수광), 성호사설(이익), 청장관전서(이덕무)

4. 조선 후기 과학 기술

1) 서양 과학 기술의 전래

① 새로운 문물 도입

- 세계지도, 천리경, 자명종, 화포 소개

- 지구설과 지전설 전파, 중국 중심의 세계관 변화

② 서양식 대포, 조총 제작 : 벨테브레이, 하멜 등을 훈련도감에 소속시켜 제작

2) 천문학과 지도

① 천문학 : 김석문(우리나라 최초 지전설 주장), 홍대용(지전설, 무한 우주론)

② 역법 : 시헌력 도입

③ 지도 : 곤여만국전도 전래 – 조선인의 세계관 확대에 기여

3) 의학과 농학 그리고 기술 개발

① 의학 : 동의보감(허준, 전통 한의학 정리), 종두법 연구(정약용), 동의수세보원(이제마, 사상의학)

② 농학 : 농가집성(신속), 색경(박세당), 임원경제지(서유구, 농촌 생활 백과 사전)

③ 기술 개발 : 정약용은 과학과 기술의 중요성 강조(거중기 제작, 배다리 설계)

02 | 문화의 새 경향

1. 서민 문화의 발달

1) 서민 문화의 발달

① 양반 중심의 문예 활동에 중인층과 서민층이 참여

② 배경 : 상공업 발달, 농업 생산력 증대, 서당의 보급

③ 특징 : 솔직한 감정 표현, 양반의 위선적인 모습 비판, 사회의 부정과 비리 폭로

2) 한글 소설과 사설시조

① 한글 소설

- 홍길동전 : 허균 지음, 적서 차별에 대한 비판, 부패한 사회 개혁 바람

- 춘향전 : 신분 차별에 대한 비합리성, 탐관오리 고발

- 토끼전, 심청전, 흥부전 등

② 사설시조 : 격식에 구애받지 않고 감정을 솔직히 표현

③ 한문학 : 박지원(허생전, 양반전 – 사회 허구성 지적)

④ 기타 : 중인층과 서민층의 시사 조직

3) 판소리와 탈놀이

　① 판소리 : 솔직한 감정 표현, 서민 문화의 중심

　② 탈놀이 : 민중의 오락으로 도시 상인과 중간층의 지원

　③ 의의 : 상품 유통 활성화와 함께 성장, 사회적 모순을 날카롭게 지적

2. 조선 후기 예술

1) 조선 후기 회화

　① 진경산수화 : 우리 자연을 사실적으로 그려 우리 것에 대한 자부심이 드러남(정선; 인왕제색도, 금강전도)

　② 풍속화

　　－ 사람들의 일상생활을 생동감 있게 표현

　　－ 김홍도 : 서민 생활을 익살스럽게 표현; 씨름도, 타작도, 서당 등

　　－ 신윤복 : 양반과 부녀자의 생활이나 남녀 간의 애정 묘사; 단오풍정 등

　③ 민화 : 민중의 기원, 호랑이·용·까치 등을 소재로 그림

　④ 서양 기법 반영(강세황), 강렬한 필법(장승업)

　⑤ 서예 : 김정희(추사체)

▲ 인왕제색도(정선)

▲ 무동(김홍도)

▲ 타작도(김홍도)

▲ 단오풍정(신윤복)

▲ 까치와 호랑이(민화)

▲ 수원 화성

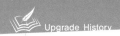

2) 건축과 공예

① 17세기 : 불교 건축물 – 금산사 미륵전, 법주사 팔상전

② 18세기 : 수원 화성

③ 19세기 : 경복궁

④ 공예 : 백자가 민간에 널리 쓰임, 청화 백자, 서민은 옹기 사용

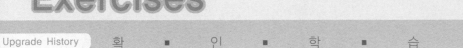

01 정약용은 지방관의 지침서에 해당하는 (   )를 저술하였다.

02 박제가는 (   )를 저술하고, 절약보다는 소비를 강조하였다.

03 조선 후기 경제력 향상과 서당의 보급은 (   )를 발달시키는 배경이 되었다.

04 서민적인 풍속화를 그린 (   )의 작품으로 씨름도, 타작도 등이 있다.

05 정선은 (   )라는 독자적인 화풍을 통해 우리나라의 자연에 대한 자부심을 나타내었다.

06 유득공은 (   )를 통해서 고대 역사를 만주까지 확대시켰다.

정답   1. 목민심서   2. 북학의   3. 서민문화   4. 김홍도   5. 진경산수화   6. 발해고

VI

근대 사회의 전개

외세의 침략적 접근과 개항

01 | 흥선 대원군의 정치

1. 흥선 대원군의 개혁

1) 19세기 중반 조선의 상황

① 정치 혼란 : 오랜 세도 정치로 정치 기강 해이, 부정부패 극심

② 농민 봉기 발생 : 정치적 혼란, 탐관오리의 수탈, 삼정의 문란으로 민생 파탄 → 임술 농민 봉기 등 농민의 저항(반봉건 성격의 심화)

③ 평등 사상의 확산 : 동학과 천주교의 확산

④ 서양 선박의 출몰 : 서양 세력에 대한 위기감 고조

2) 흥선 대원군의 통치 체제 개혁

① 흥선 대원군의 집권 : 고종이 어린 나이로 즉위 → 국왕의 생부로서 정권 장악

② 흥선 대원군의 개혁

　ㄱ 목표 : 국가 기강 확립, 왕권의 강화

　ㄴ 통치 체제 정비 : 세도 정치 타파, 능력에 따른 인재 등용, 비변사 축소 또는 폐지 (의정부와 삼군부 부활), 대전회통, 육전조례 등 법전 편찬

　ㄷ 민생 안정책(삼정 개혁)

　　· 전정 : 양전 사업 – 양반과 토호의 토지 겸병 금지

　　· 군정 : 호포법 실시 – 양반에게도 군포 부과

　　· 환곡 : 사창제 실시(마을 자치적 곡식 대여)

　ㄹ 서원 정리 : 붕당 정치의 폐단 일소, 서원의 토지와 노비 몰수 → 국가 재정 확충 과 민생 안정

　ㅁ 경복궁 중건 : 왕실의 위엄 회복 목적, 원납전 강제 징수, 당백전 발행, 백성의 부 역 징발 → 경제적 혼란과 백성의 불만 초래

③ 개혁 정치의 의의 : 국가 기강 확립(전통적인 통치 질서의 재정비), 왕권 강화, 민생 안정

④ 개혁 정치의 한계 : 전제 왕권 강화 추구 → 전통적 체제 내에서의 개혁

> **호포제**
> 흥선 대원군은 양반의 거센 반발을 무릅쓰고 양반의 면역 특권을 폐지하고, 신분의 고하 를 막론하고 각 호당 2냥씩의 호포를 징수하였다.

> **당백전**
>
> 경복궁 중건에 필요한 비용을 충당하기 위해 무리하게 발행한 악화로 물가를 상승시키고 유통 질서의 혼란을 초래하였다.

2. 흥선 대원군의 통상 수교 거부 정책

1) 배경

① 청의 베이징 점령, 러시아의 연해주 획득

② 서양 세력에 대한 경계심 고조, 서양 세력의 통상 수교 요구, 천주교 교세 확장 등

2) 조선의 대응

① 국방력 강화, 통상 수교 거부

② 서양 물품의 유입 금지, 천주교 탄압 → 병인박해

3) 서양 열강의 침략과 대응

제너럴 셔먼호 사건 (1866)	미국 상선이 대동강(평양)에 침투 → 통상을 요구하며 무력 시위 → 평양 감사와 군민이 격퇴
병인양요 (1866)	프랑스 함대가 병인박해를 이유로 강화도에 침투 → 문수산성(한성근), 정족산성(양헌수) 전투 → 프랑스군이 외규장각 문서 탈취
오페르트 도굴 사건 (1868)	독일 상인 오페르트가 남연군 묘 도굴 시도 → 실패(반외세 감정 고조)
신미양요 (1871)	제너럴 셔먼호 사건을 구실로 미국이 강화도 침략 → 광성보(어재연 부대) 전투

4) 척화비 건립 : 신미양요 후에 전국에 건립하여 통상 수교 거부 의지를 보여 줌

> **척화비**
>
> 척화비는 신미양요 이후 흥선 대원군이 서양 제국주의의 침략을 경계하기 위해 전국 각지에 세운 비석이다.
> 비석에는 '서양 오랑캐가 침범하는데 싸우지 아니하면 화친하는 것이고, 화친을 주장하는 것은 나라를 파는 것이다.(洋夷侵犯 非戰則和 主和賣國)'라는 글이 새겨져 있다.
> 1882년 임오군란으로 대원군이 청나라에 납치되어 갔을 때 일본 공사관의 요구에 의하여 모두 철거되었으나 그 일부가 후에 발견되어 남아 있다.
>
>

02 | 조선의 개항(강화도 조약)

1. 강화도 조약(1876)

1) 배경

① 대내적 상황 : 흥선 대원군의 하야, 고종의 친정, 민씨 정권의 성립, 통상 개화론자의 등장

> **초기 개화 사상가 - 박규수, 오경석, 유홍기**
> 이들은 열강의 군사적 침략을 피하기 위해 개항의 불가피를 주장하였다.

② 대외적 상황 : 일본의 정한론 대두(메이지 유신 이후 급속한 근대화 과정에서 대두)

③ 운요호 사건(1875) : 강화도 조약의 원인
- 배경 : 일본이 고압적인 외교 문서로 조선에 국교 수립 요구
- 사건 전개 : 일본 군함 운요호가 강화도 해역을 침범 → 조선 군대의 포격 유도 → 이를 빌미로 개항 요구

2) 주요 내용과 의의

① 주요 내용 : 조선의 자주국 규정(→ 일본의 청 간섭 배제 의도 반영), 일본의 치외법권과 해안 측량권 인정(주권 침해한 불평등 조약), 3개 항구 개항(부산, 원산, 인천), 무관세, 곡물 무제한 유출

② 의의 : 우리나라 최초의 근대적 조약, 불평등 조약 → 일본의 정치적·경제적·군사적 침략 목적 내포

> **강화도 조약의 주요 내용**
> **제1관** 조선은 자주국이며, 일본과 평등한 권리를 가진다.
> (조선에 대한 청의 간섭을 배제함으로써 일본이 조선 침략을 용이하게 하려는 것이다.)
> **제4관** 조선 정부는 부산 외에 2개 항구를 개항하고 일본인이 통상하는 것을 허가한다.
> (부산 외에 두 항구의 개항 요구는 단순한 통상 교역의 경제적 목적을 넘어 정치·군사적 거점을 마련하려는 일본의 침략 의도를 드러낸 것이다.)
> **제7관** 조선국 연해의 섬과 암초는 극히 위험하므로 일본국의 항해자가 자유롭게 해안을 측량하도록 허가한다.
> (영토 주권의 침해를 의미한다.)
> **제10관** 일본국 국민이 조선국 항구에서 죄를 지었거나 조선국 인민에게 관계되는 사건일 경우 모두 일본국 관원이 심판한다.
> (치외법권 조항으로, 조선에 거주하는 일본인의 불법 행위에 대한 조선의 사법권을 배제한 것이다.)

2. 조·미 수호 통상 조약(1882)

1) 배경

① 미국의 수교 요청

② 조선책략 유포 : 청의 황쭌셴은 러시아의 남하를 막기 위해 중국, 일본, 미국과 수교할 것을 주장(친중국, 결일본, 연미국)

③ 청의 알선 : 러·일 세력 견제, 조선에 대한 청의 종주권 확인 목적

2) 주요 내용과 성격

① 거중 조정 : 양국 중 어느 나라가 제3국으로부터 어려움을 겪을 때 지원

② 치외법권과 최혜국 대우 규정

③ 성격 : 서양과의 최초의 조약, 이권 침탈의 원인(최혜국 대우 규정)

치외법권

외국인이 현재 거주하는 나라의 법률을 적용받지 않는 국제법상의 특권이다. 강화도 조약의 경우 일본 외교관 뿐 아니라 일본 상인들도 치외법권을 갖게 되면서 조선 정부와 상인들에게 큰 피해를 주었다.

최혜국 대우 조항

한 나라가 어떤 외국에 부여하고 있는 가장 유리한 대우를 조약 상대국에도 부여하는 내용이다.

3) 기타 열강과 외교 관계

① 영국(1883), 독일(1883), 이탈리아(1884), 러시아(1884), 프랑스(1886), 오스트리아(1892)

② 성격 : 근대 사상과 문물제도의 수용 계기, 불평등 조약(열강의 침략 가속화)

Exercises

01 흥선 대원군이 (   )을 정리한 것은 양반 유생의 횡포를 막아 왕권 강화와 민생안정을 위한 것이었다.

02 흥선 대원군은 경복궁을 중건하기 위하여 고액 화폐인 (   )을 발행하였다.

03 병인박해를 구실로 강화도를 침략한 (   )군은 강화도에 보관 중이던 외규장각 도서를 약탈하였다.

04 흥선 대원군은 전국에 통상 수교 거부의 의지를 나타내는 (   )를 세웠다.

05 조선과 일본 사이에 최초의 근대적 조약인 (   )이 체결되었다.

정답   1. 서원   2. 당백전   3. 프랑스   4. 척화비   5. 강화도 조약

근대적 개혁의 추진과 반발

01 | 개화 정책 추진과 반발

1. 개화 사상 형성과 개화 정책 추진

1) 개화 사상의 형성

① 배경 : 북학파 실학(박지원, 박제가) 사상 계승, 청의 양무운동, 일본의 메이지유신 영향

② 초기 개화 사상가

- 대표 인물 : 박규수, 오경석, 유홍기
- 통상개화론 주장 : 부국강병을 이루고 서양의 침략에 대응하기 위해서 개항의 필요성 주장

③ 개화파 형성

- 박규수의 지도로 개항 전후로 개화파 형성
- 김옥균, 박영효, 서광범, 김윤식, 김홍집 등

2) 1880년대 개화 정책

① 해외 시찰단 및 유학생 파견

- 수신사(일본) : 제1차 수신사 김기수(1876), 제2차 수신사 김홍집(1880) 파견
- 조사 시찰단(일본) : 일본의 근대적 발전상 시찰(1881)
- 영선사(청) : 톈진에서 근대 무기 제조법과 군사 훈련법 습득(1881) → 기기창 설치
- 보빙 사절단(미국) : 최초의 구미 사절단

② 개화 정책

- 관제 개편(1881) : 통리기무아문 설치(개화 정책 추진 기구), 12사 설치(외교, 통상, 군사, 기계와 선박 제조, 외국어 교육 등의 업무 담당)
- 군제개편 : 5군영 → 2영(무위영, 장어영), 별기군 설치(신식 군대, 일본인 교관이 근대식 군사 훈련)
- 근대 시설 설치 : 기기창(근대 무기 제조), 박문국(인쇄), 전환국(화폐 발행), 우정국(우편 사무)

▲ 별기군(신식군대)　　　　　　▲ 보빙사　　　　　　▲ 우정총국

2. 개화 정책 반발

1) 위정척사 사상

① 배경 : 서양 열강의 통상 요구, 강화도 조약 체결로 개항, 정부의 개화 정책 추진

② 의미 : 우리 전통문화는 수호하고 외세는 배격, 성리학적 유교 질서 유지

③ 주도 세력 : 보수적 유생층(이항로, 기정진 → 유인석, 최익현 등)

④ 위정척사 운동의 전개

시기	배경	내용
1860년대	이양선 출몰, 천주교 확산, 흥선 대원군 집권, 병인양요, 신미양요	통상 수교 반대, 척화주전론
1870년대	강화도 조약 체결	개항 반대, 강화도 조약 반대 (왜양일체론)
1880년대	개화 정책 추진, 조선책략, 미국과 수교	개화 정책 반발, 미국과 수교 반대 (영남만인소)
1890년대	을미사변, 단발령	을미의병 발발

⑤ 의의 : 서양 열강과 일본의 경제적 침략으로부터 우리 경제를 지키고 고유한 전통을 수호 → 반침략, 반외세의 자주 국권 수호 운동

⑥ 한계 : 근대화와 개화 정책 추진에 장애

2) 임오군란(1882)

① 배경 : 별기군과 구식 군대의 차별 대우, 개화 세력과 보수 세력 갈등, 민씨 세력과 흥선 대원군 세력의 갈등

② 경과
- 임오군란 발발 : 구식 군대의 폭동 → 민씨 정권의 고관 살해, 별기군의 일본인 교관 살해 → 일본 공사관 습격 → 도시 빈민층의 동조, 합세
- 흥선 대원군의 재집권 : 개화 정책 중단 → 민씨 정권이 청에 군대 요청 → 흥선 대원군 청으로 납치
③ 결과
- 일본과 제물포 조약 체결 : 일본 공사관의 경비병 주둔 인정, 배상금 지불
- 친청 정권 수립 : 민씨 일파 중심의 친청 정권
- 청의 내정 간섭 심화 : 고문 파견(내정과 외교); 마 젠창·묄렌도르프·위안 스카이 등, 조·청 상민 수륙 무역 장정 체결(청 상인에게 통상 특혜 보장)

02 | 갑신정변

1. 개화 세력의 분화

1) 개화 세력의 분화

① 임오군란 전후해서 온건 개화 세력과 급진 개화 세력으로 분화
② 온건 개화파와 급진 개화파

구분	온건 개화파	급진 개화파
중심 인물	김홍집, 어윤중, 김윤식	김옥균, 박영효, 홍영식, 서광범
정치적 입장	청과의 사대 관계 유지	청의 내정 간섭과 정부의 친청 정책 비판
개혁 방향	동도서기론(전통적인 유교 사상을 지키면서 서양 과학과 기술을 적극적으로 수용하자는 주장)	정치, 사회 제도의 개혁까지 포함하는 급진적 개혁(서양의 물질 문명뿐 아니라 정치 체제와 정신 문화까지 적극적으로 수용)
개혁 모델	청의 양무 운동	일본의 메이지 유신

온건 개화파

서양과 수교를 하면 장차 사교(邪敎)에 전염된다고 말하니, 이것은 진실로 사문(斯文)을 위하고 세상의 교화를 위해 깊이 생각한 것이다. 그러나 수호는 수호대로 행하고 금교는 금교대로 할 수 있다.

- 김윤식 -

급진 개화파

무릇 종교는 국민들이 자유롭게 믿게 하고 정부에서 간섭해서는 안 됩니다. …… 만약에
군주의 전제권을 견고히 하려면 국민을 어리석게 해야 합니다. …… 따라서 진실로 나라
를 부강하게 하여 서양과 맞서려면 군권을 줄여 국민들에게 응분의 자유를 누리게 하고
보국의 책임을 다하게 해야 합니다.   - 박영효 -

2) 개화파의 대립

　① 재정 확보책을 둘러싸고 대립

　② 일본에서의 차관 도입 실패로 급진 개화파의 입지가 축소됨

2. 갑신정변

1) 갑신정변(1884)

　① 배경

　　– 임오군란 이후 청의 내정 간섭 심화

　　– 온건 개화파의 급진 개화파 견제

　　– 일본 공사의 군사적 지원 약속

　　– 베트남을 둘러싼 청·프 전쟁으로 청군이 조선에서 일부 철수

　② 갑신정변 전개 과정

　　급진 개화파가 우정총국 개소식 축하연 이용 → 민씨 고관 살해, 새 내각 발표, 14개
　　조 정강 발표 → 청군 개입으로 3일 만에 실패 → 일본으로 망명(3일 천하)

14개조 정강의 주요 내용

- 대원군 귀국과 청에 대한 사대관계 폐지
- 문벌을 폐지하여 인민 평등권 확립
- 지조법 개혁하여 백성 보호
- 재정 일원화
- 입헌군주제를 실시하여 내각을 강화

　③ 결과 : 청의 내정·외교 간섭 심화, 톈진 조약(청·일 양군 철수, 파병 시 통보 의무
　　화 → 청·일 전쟁의 배경), 한성 조약(일본에 배상금 지불)

④ 의의 : 근대 국가 건설을 목표로 한 최초의 정치 개혁 운동(갑오개혁에 반영)

⑤ 한계 : 일본 지원에 의존, 토지 개혁 외면 → 민중의 지지 획득 실패

2) 갑신정변 이후의 대외 정세

① 청 · 일본의 대립 격화, 영국 · 러시아의 각축

   – 청의 조선에 대한 내정 간섭과 일본의 경제적 침략이 충돌

   – 러시아의 남하 정책과 영국의 거문도 사건

② 거문도 사건(1885) : 영국이 러시아의 남하 정책을 견제하기 위해 거문도를 불법 점령

③ 조선의 중립화론 대두 : 독일 부영사 부들러와 유길준 등이 제기

Exercises

01 개화 정책으로 서양식 신식 군대인 (   )이 창설되었다.

02 구식 군대에 대한 차별과 개화 정책에 대한 불만으로 (   )이 일어나 흥선 대원군이 일시적으로 재집권하였다.

03 온건 개화파는 (   ) 사상을 바탕으로 서양의 무기 기술을 수용하자는 점진적인 개화를 추진하였다.

04 급진 개화파는 (   ) 개소식 축하연을 계기로 정변을 일으켰으나 청의 진압으로 3일만에 끝나고 말았다.

05 갑신정변에서는 사회적 평등을 주장한 (   )와 정치적인 (   )를 주장하였다.

정답   1. 별기군   2. 임오군란   3. 동도서기   4. 우정(총)국   5. 문벌폐지, 입헌군주제

근대 국가 수립 운동

01 | 동학 농민 운동과 갑오개혁

1. 동학 농민 운동(1894)

1) 동학 농민 운동의 배경

① 개항 이후 농민층의 동요

- 농민의 조세 부담과 수령의 백성 수탈 증가
- 일본으로의 곡물 유출로 국내 곡물 가격 폭등, 외세의 경제적 침투로 국내 상인 몰락

② 동학의 교세 확장(인간 평등, 사회 개혁 사상)

③ 교조 신원 운동 전개

공주, 삼례 집회 → 복합 상소(교조 신원과 포교의 자유 요구) → 보은 집회(탐관오리 숙청과 외세배척 등 정치적 요구 제기)

2) 동학 농민 운동의 전개 과정

① 1차 농민 전쟁(반봉건적) : 조병갑의 수탈로 인한 고부 농민 봉기(전봉준) → 백산 집결(4대 행동 강령 선포) → 황토현 전투, 장성 황룡촌 전투(농민군 승리) → 전주성 점령 → 청군과 일본군의 파병 → 전주 화약을 맺고 해산

> 동학 농민의 주요 주장(폐정개혁 12조)
>
> - 노비문서 소각한다.
> - 백정이 쓰는 평량갓을 없애라.
> - 과부의 재혼을 허가 하라.
> - 왜와 통하는 자는 엄중히 징벌한다.
> - 토지는 균등히 나누어 경작한다.

② 집강소 시기 : 전주화약 이후 농민군이 전라도 전역에 집강소를 설치해 자율적으로 폐정 개혁 추진

③ 2차 농민 전쟁(반외세적) : 일본군의 경복궁 점령 및 내정 간섭 → 공주 우금치 전투에서 패배

3) 동학 농민 운동의 성격과 의의 및 한계

① 성격 : 반봉건, 반외세적 민족 운동

② 의의

- 아래로부터의 근대 지향적 개혁 운동

- 신분제도와 봉건적 악습 폐지에 영향

- 농민군의 잔여 세력이 의병에 가담

③ 한계 : 근대 국가를 건설하기 위한 구체적인 방안을 제시하지 못함

▲ 동학 농민군의 1차 봉기

▲ 동학 농민군의 2차 봉기

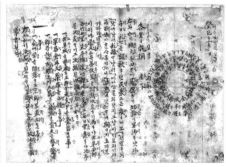

▲ 사발통문

집강소 : 동학 농민군의 자치 행정기구로 동학 농민 운동 당시 전라도 53개 군과 현에 설치되었다.

반봉건 : 전통적인 지배 질서와 관습을 반대하고 개혁을 통해 근대화를 추구

2. 갑오개혁(1894)

1) 갑오개혁의 배경

① 내적 개혁의 필요성 : 개화 세력의 개혁 의지, 동학 농민군의 개혁 요구 → 교정청 설치(자주적 개혁 착수)

② 일본의 내정 개혁 강요 : 일본이 군대를 동원하여 경복궁을 점령하고 제1차 김홍집 내각 성립, 내정 개혁 강요

2) 개혁 과정

① 제1차 개혁(갑오개혁, 1894) : 일본군의 경복궁 점령, 민씨 정권 붕괴, 개혁 추진 기구 '군국기무처' 설치

② 제2차 개혁(갑오개혁, 1894) : 청·일 전쟁에서 승세를 잡은 일본이 내정 간섭 본격화 → 김홍집, 박영효 연립 내각 구성 → 홍범 14조 반포

③ 제3차 개혁(을미개혁, 1895) : 삼국 간섭 후 일본의 세력 위축 → 일본의 명성 황후 시해 사건(을미사변) → 을미개혁 실시(김홍집 내각의 급진적 개혁) → 을미의병 봉기, 아관파천으로 개혁 중단

3) 개혁 내용

구분	개혁 내용
제1차 개혁	· 정치 : 왕실과 국정 사무 분리, 6조를 8아문으로 개편, 과거제 폐지, 경무청 설치 · 경제 : 재정의 일원화(탁지부), 은본위 화폐 제도, 조세 금납화, 도량형 통일 · 사회 : 신분제 철폐, 조혼 금지, 과부의 재가 허용, 고문과 연좌법 폐지
제2차 개혁	군현제 폐지, 사법권 독립(재판소 설치), 지방관의 권한 축소(군사권과 사법권을 제외한 행정권만 행사)
제3차 개혁	단발령 시행, 태양력 사용, 연호 사용(건양), 종두법 시행, 소학교 설치, 우편 사무

4) 개혁에 대한 평가

① 긍정적인 평가
   - 갑신정변, 동학 농민 운동 등에서 제기된 일부 개혁 요구 수용(신분제 철폐 등)
   - 정치·경제·사회 각 분야에 걸친 근대적 개혁, 봉건적 질서 타파 → 제도상으로 근대 국가의 면모를 갖춤

② 부정적인 평가
   - 일본의 강요에 의해 착수 → 일본의 조선 침략을 용이하게 하는 결과 초래
   - 군제 개혁 미흡(일본의 침략 의도), 토지 제도 개혁 부재(농민의 지지를 얻지 못함)

군국기무처 : 입법권을 가진 초정부적 회의 기구로 제1차 개혁 기간 중에 국정 전반에 걸쳐 약 210건의 의안을 의결·처리하였다.

도량형 통일 : 길이, 부피, 무게 등을 재는 단위에 대한 통일을 의미한다.

02 | 독립협회와 대한제국

1. 독립협회

1) 아관파천(1896)

① 을미개혁 이후 고종이 러시아 공사관으로 거처를 옮김

② 러시아가 조선의 정치·경제적 이권 차지

③ 열강의 이권 침탈 본격화

- 서양의 열강들이 최혜국 대우 조항을 내세워 각종 이권 침탈
- 내용 : 광산 채굴권, 산림 벌채권, 철도 부설권 등
- 철도는 특히 일본의 대륙 침략의 의도로 부설됨

2) 독립협회 결성(1896)

① 배경 : 고종의 아관파천, 열강의 이권 침탈 심화

② 조직 : 서재필 등 개화 지식층, 관료와 일반인 참여

③ 목적 : 민중 계몽을 통한 자유 민주주의, 민권 신장, 자주 국권 수호

3) 독립협회의 활동

① 민중 계몽 운동 : 독립문 건립, 독립신문 발행, 토론회 개최 – 민중의 정치 의식 고양

② 자주 국권 운동

- 러시아의 내정 간섭과 이권 침탈 규탄, 자주 독립 수호의 구국 상소 제출, 한·러 은행 폐쇄
- 최초의 근대적 민중 집회인 만민 공동회 개최(1898)

③ 자유 민권 운동과 의회 설립 운동

- 자유 민권 운동 : 법률과 재판에 의한 신체의 자유와 재산권 보호, 언론·출판·집회·결사의 자유 보장, 국민 참정권 운동 전개
- 관민 공동회 개최 : 독립협회와 정부 대신 참석, 헌의 6조 결의
- 의회 설립 운동 : 중추원 관제 반포

독립문

1896년 청의 사신을 맞이하던 영은문이 헐린 자리 앞에 국민의 성금으로 독립문이 건립되고, 청 사신이 머물던 숙소인 모화관 자리에는 독립관이 세워졌다.

독립신문
정부의 지원을 받아 서재필이 1896년에 창간한 신문이다. 한글과 영문으로 발행한 독립신문은 민중의 근대 의식 고취에 이바지하였다.

1. 외국인에게 의지하지 아니하고 관민이 협력하여 전제 황권을 공고히 할 것
2. 외국과의 이권에 관한 계약과 조약은 각 대신과 중추원 의장이 함께 서명하여 시행할 것
3. 국가 재정은 탁지부에서 모두 관리하며 예산, 결산을 국민에게 공포할 것
4. 중대 범죄인은 반드시 재판하되, 피고의 인권을 존중할 것
5. 칙임관을 임명할 때 의정부에 자문하여 과반수를 얻은 자를 임명할 것
6. 장정을 반드시 지킬 것

- 헌의 6조 -

4) 독립협회의 해산(1898)

① 보수적 관료들이 독립협회가 공화정 수립을 도모한다고 모함을 함

② 독립협회 간부 체포 및 강제 해산됨(황국협회 동원)

5) 독립협회 활동의 의의와 한계

① 의의 : 국권 수호와 민권 신장에 기여, 민중 계몽을 통한 근대화 운동 전개

② 한계 : 외세 배척 운동이 주로 러시아를 대상으로 함 → 미국, 영국, 일본에 대해 비교적 우호적인 입장

▲ 독립문

▲ 독립신문

▲ 만민공동회

2. 대한제국과 광무개혁

1) 대한제국의 수립(1897)

① 러시아와 일본의 세력 균형

② 고종이 러시아 공사관에서 환궁 후 대한제국 선포; 연호-광무, '황제' 칭호 사용, 원구단 축조

2) 광무개혁

① 성격 : 구본신참(舊本新參)의 기본 방향, 점진적 개혁

② 광무개혁 내용

- 정치 : 대한국 국제 선포(전제 황제권 규정), 원수부 설치(황제가 군대 통솔); 황제권 강화
- 경제 : 지계 발급(근대적인 토지 소유권 제도 마련), 식산흥업 정책; 상공업 진흥
- 사회 : 근대 시설 도입(전화 가설, 전차 선로 부설), 실업학교 설립

③ 의의 : 자주 독립과 근대 사회 지향

④ 한계 : 민권 보장 미흡, 집권층의 보수화, 열강의 간섭으로 큰 성과를 못 거둠

> **제1조** 대한국은 세계 만국이 공인한 자주 독립 제국이다.
> **제2조** 대한국의 정치는 만세 불변의 전제 정치이다.
> **제3조** 대한국 대황제는 무한한 군주권을 누린다.
> **제6조** 대한국 대황제는 법률을 제정하여 그 반포와 집행을 명하고, 대사 · 특사 · 감형 · 복권을 명한다.
> **제9조** 대한국 대황제는 각 조약 체결 국가에 사신을 파견하고, 선전 · 강화 및 제반 조약을 체결한다.
>
>   - 대한국 국제 -

3) 간도와 독도

① 간도

- 대한 제국의 간도 관리사 파견, 간도를 우리 영토로 편입하여 관리
- 간도 협약(1909, 일본-청) : 남만주 철도 부설 대가로 일본이 청에게 간도 양도

② 독도

- 울릉군에서 독도 관할
- 러 · 일 전쟁(1905) 중 일본이 불법으로 일본 영토에 편입시킴

Exercises

01 동학 농민군은 전주화약 이후 자치기구인 (   )를 설치하여 폐정개혁을 실천하였다.

02 제2차 동학 농민군은 공주 (   )에서 일본군에 패배하여 개혁 추진을 실패하였다.

03 갑오개혁에서는 갑신정변과 동학 농민 운동에서 주장한 (   ) 폐지 요구가 반영되었다.

04 을미개혁 내용 중 (   )에 반발하여 의병이 일어났다.

05 고종이 일본의 간섭을 피하고자 (   )을 단행하여 갑오·을미개혁이 중단되었다.

06 독립협회는 독립문을 세우고 독립신문을 창간하였고, 민중집회인 (   )를 개최하여 자주 국권 운동을 전개하였다.

07 대한제국은 (   )을 기본 방향으로 하여 광무개혁을 추진하였다.

08 광무개혁에서는 토지 계약서인 (   )를 발급하여 근대적으로 토지 소유를 증명하게 되었다.

정답   1. 집강소   2. 우금치 전투   3. 신분제   4. 단발령   5. 아관파천   6. 만민공동회
7. 구본신참   8. 지계

국권 수호 운동

01 | 일제의 국권 침탈

1. 을사늑약(1905)

1) 러·일 전쟁 발발(1904)

① 일본이 인천 연안과 뤼순항에 정박해 있던 러시아 함대를 기습 공격

② 대한제국의 중립국 선언을 무시하고 군대를 동원하여 서울 점령

③ 한·일 의정서(1904) : 한반도 내의 전략상 필요한 지역을 군사 기지로 확보

④ 제1차 한·일 협약(1904) : 고문정치

　　－ 일본이 러·일 전쟁의 우위 점령

　　－ 메가타를 재정 고문으로, 스티븐스를 외교 고문으로 파견하여 내정 간섭 강화

2) 을사늑약(1905)

① 배경 : 가쓰라·태프트 밀약(미국－일본), 제2차 영일동맹(영국－일본), 포츠머스 조약
(러시아－일본) － 일본의 한반도 독점권 인정

② 과정 : 일본의 을사늑약 강요, 고종과 일부 대신의 저항, 이완용 등 5명의 대신 서명
으로 체결 － 체결 당시 공식 명칭도 붙이지 않은 채 조약 체결

③ 결과

　　－ 외교권 박탈 : 일본의 이름으로 외교 관계를 맺을 수 있음

　　－ 통감부 설치 : 초대 통감에 이토 히로부미 부임

④ 민족의 저항 : 자결 순국(민영환), 항일 논설(시일야방성대곡－황성신문), 5적 암살단
조직, 항일 의병(을사의병) 등

통감부

을사늑약에 따라 일제가 외교 사무를 담당하기 위해 설치한 기구이나 실제로는 내정 전
체를 간섭하였다. 초대 통감은 이토 히로부미이다.

을사오적

을사늑약에 찬성한 다섯 명의 대신. 이완용(학부대신), 박제순(외부대신), 이지용(내부
대신), 이근택(군부대신), 권중현(농상대신)

2. 국권 피탈(1910)

1) 고종의 강제 퇴위(1907)

① 고종의 외교적 저항

- 조약 무효 선언과 열강 지원을 얻기 위한 외교 활동
- 헐버트로 하여금 미국 정부에 을사늑약이 무효임을 알리려 함
- 헤이그 특사 파견(1907) : 네덜란드 헤이그에서 열린 만국평화회의에 특사 파견(이상설, 이위종, 이준); 외교권이 없다는 이유로 회의장 참석 거부당함

② 고종의 강제 퇴위(1907)

- 헤이그 특사 사건을 빌미로 고종 강제 퇴위, 순종 즉위
- 한 · 일 신협약(1907, 정미7조약) : 군대 해산과 차관정치 실시

헤이그 특사 파견

1907년 고종은 을사늑약의 무효를 전 세계에 호소하기 위해 네덜란드 헤이그 만국평화회의에 이준, 이상설, 이위종을 특사로 파견하였으나, 뜻을 이루지 못하였다. 이 사건의 책임을 물어 일본은 고종을 강제로 퇴위시켰다.

2) 국권 피탈(1910)

① 사법권 박탈(1909), 경찰권 박탈(1910)

② 일진회 : 친일 단체 일진회가 한 · 일 합방 청원서와 성명서 발표

③ 한 · 일 강제 병합(1910) : 이완용과 데라우치가 한국과 일본 병합 발표(1910.8.29)

02 | 국권 수호 운동 전개

1. 항일 의병 운동

1) 의병 운동의 전개

의병 발생 시기	의병의 원인	주요 내용	의의
을미의병 (1895)	명성황후 시해(을미사변), 단발령(을미개혁)	양반 유생 주도, 동학 농민군의 잔여 세력 가담	아관파천 이후 고종의 해산 권고로 해산, 반침략 투쟁 전개
을사의병 (1905)	을사늑약으로 외교권 박탈	최익현(양반 유생) 신돌석(평민); 의병장	평민 의병장 등장
정미의병 (1907)	고종의 강제 퇴위, 군대해산	해산된 군인들의 의병 합류(전력 강화)	13도 창의군 : 서울 진공 작전 실패, 외국 영사관에 교전 단체로 인정 요구

2) 의병 전쟁의 의의와 한계

① 의의 : 민족의 강한 독립 정신 표출, 무장 독립 투쟁의 기반 마련

② 한계 : 일본군에 비해 조직력과 화력의 열세, 유생 의병장들의 봉건적 한계로 인한 결속 약화

(개) …… 국모의 원수를 생각하며 이를 갈았는데, 참혹함이 더욱 심해져 임금께서 또 머리를 깎으시는 지경에 이르렀다. …… 우리 각 도 충의의 인사들은 모두가 임금의 보살핌을 받은 몸이니

- 을미의병 유인석의 격문 -

(내) 오호라! 작년 10월에 저들이 한 행위는 만고에 일찍이 없던 일로서, 억압으로써 한 조각의 종이에 조인하여 500년 전해 오던 종묘사직이 드디어 하룻밤에 망하였으니, …… 나라를 들어 적국에 넘겨 준 이지용 등은 실로 우리나라 만대의 변할 수 없는 원수요, …… 우리 의병 군사의 올바름을 믿고, 적의 강대함을 두려워하지 말자. 이에 격문을 돌리니 도와 일어나라.

- 을사의병 최익현의 격문 -

3) 항일 의거 활동

① 장인환, 전명운 : 미국 샌프란시스코에서 스티븐스 저격(1908)

② 안중근 : 만주 하얼빈에서 이토 히로부미 사살(1909)

2. 애국 계몽 운동

1) 애국 계몽 운동

① 성격
- 서양의 사회 진화론의 영향(약육강식과 적자생존)
- 교육, 언론 등 문화 활동과 산업 진흥을 통해 실력을 양성하여 국권을 수호하자는 운동

② 주도 세력 : 지식인, 관료, 개혁적 유학자

2) 정치 · 사회 단체 결성

① 대표 활동 단체

단체	활동 내용
보안회(1904)	일제의 황무지 개간권 저지 운동
헌정연구회(1905)	입헌군주제를 통한 민권 확대 주장
대한 자강회(1906)	교육 활동과 산업 진흥 주장, 전국에 지회 설치 고종의 강제 퇴위 반대 운동 전개

② 신민회 활동(1907~1911)

결성	안창호, 양기탁 등이 비밀결사 형태로 조직
목표	국권 회복과 공화정체를 바탕으로 한 근대 국민 국가 건설
교육 활동	대성학교(평양), 오산학교(정주) 설립
경제 활동	자기회사, 태극서관 설립
무장 투쟁 준비	국외 독립운동 기지 건설 : 서간도 삼원보에 신흥무관학교 설립
해체	105인 사건으로 해체

3) 교육 운동과 언론 활동

① 학회 활동
- 애국 계몽 운동가들이 많은 사립학교와 학회 설립 : 민중 계몽과 신교육의 보급, 민족의식 고취
- 대표 학회 : 서북 학회, 기호 흥학회 등

② 언론 활동
- 국민 계몽과 애국심 고취에 노력
- 황성신문(장지연의 시일야방성대곡), 대한매일신보(국채 보상 운동 전개)
- 일제가 신문지법과 출판법 등을 제정하여 언론·출판 활동 탄압

4) 애국 계몽 운동의 의의와 한계

① 의의 : 국민의 애국심과 근대 의식 고취, 독립 운동의 장기적인 기반 마련, 독립 국가의 방향 제시

② 한계 : 사회진화론 수용에 따른 일제의 지배 인정, 의병 투쟁에 대한 비판

01 일본은 을사늑약에서 (   )을 박탈하고 외교와 내정 간섭을 목적으로 (   )를 설치하였다.

02 일본은 (   ) 중에 독도를 일본에 강제 편입시켰다.

03 을사의병에서는 보수유생인 최익현과 평민 의병장 (   )이 대표적인 의병장이었다.

04 정미의병은 (   )와 (   )을 계기로 일어나 의병이 더욱 강화되었다.

05 정미의병 당시 전국 의병 연합인 13도 창의군은 (   )을 추진하였지만 실패하였다.

06 비밀결사 조직인 (   )는 국내에서는 교육과 산업을, 국외에서는 독립운동 기지 건설을 통해 독립 운동을 전개하였다.

정답   1. 외교권, 통감부   2. 러·일 전쟁   3. 신돌석   4. 고종 강제 퇴위, 군대해산
           5. 서울진공작전   6. 신민회

05 개항 이후의 경제와 사회 변화

01 | 열강의 경제 침탈과 사회 변화

1. 열강의 경제적 침탈

1) **개항 이후 일본 상인의 침투**

① 문호 개방 : 강화도 조약과 그에 따른 부속 조약 및 통상 장정 체결 – 부산·원산·인천의 개항, 일본 화폐의 유통 허용, 수출입 상품의 비관세, 양곡의 무제한 유출 허용

② 거류지 무역 : 개항장 사방 10리 이내로 활동 범위 제한

③ 중개 무역 : 조선에 영국산 면직물 판매, 조선의 쌀·콩·소금·쇠가죽 등 매입

2) **청 상인과 일본 상인의 경쟁(1880년대)**

① 배경 : 임오군란 이후 조선에 대한 청의 영향력 강화 → 조·청 상민 수륙 무역 장정 체결(내륙 통상권 허용)

② 결과 : 청·일 상인 간의 치열한 경쟁, 청 상인의 내륙 진출로 시전 상인과 공인의 타격 → 최혜국 규정을 들어 다른 나라 상인들도 내륙으로 진출

3) **열강의 경제 침탈**

① 열강의 이권 침탈

㉠ 배경 : 아관파천 이후 열강들이 최혜국 대우 조항을 내세워 이권 침탈

㉡ 러시아 : 광산 개발권, 삼림 벌채권

㉢ 미국 : 광산 채굴권, 전기·전차 부설권

㉣ 일본 : 경인선 부설권(미국 → 일본), 경의선 부설권(프랑스 → 일본), 경부 철도 부설권(한·일 양국 공동 경영) – 철도 용지 무상 제공, 대륙의 침략 의도

㉤ 영향 : 열강의 원료 공급지, 자본 투자 대상

② 일본의 토지 침탈 : 러·일 전쟁 중 철도 부지와 군용지 확보를 구실로 토지 약탈 본격화, 동양 척식 주식회사(1908)를 통한 토지 약탈

③ 일본의 금융 지배

– 화폐 정리와 시설 개선 명목으로 강제로 차관 제공

– 화폐 정리 사업 : 재정 고문 메가타가 주도 → 국내 금융 자본 붕괴

– 금융 지배 : 화폐 정리 사업을 계기로 일본 제일은행권이 법정 통화가 됨

2. 경제적 구국 운동과 사회 변화

1) 경제적 구국 운동의 전개

① 방곡령 시행 : 일제의 미곡 유출에 맞서 함경도와 황해도 등지에서 시행 → 조 · 일 통상 장정을 구실로 일제의 반발 → 철회, 일본에 배상금 지불

② 상권 수호 운동 : 조 · 청 상민 수륙 무역 장정(1882) 체결 이후 외국 상인들의 내륙 침투 → 시전 상인들의 철시 투쟁, 황국 중앙 총상회 조직

③ 독립협회의 이권 수호 운동 : 러시아의 이권 침탈 저지(절영도 조차 거부, 한 · 러 은행 폐쇄)

④ 보안회 : 일제 황무지 개척권 요구 반대 운동 전개

⑤ 국채 보상 운동(1907)
  – 일본에 진 빚 1300만원을 갚고 경제적 예속에서 벗어나기 위해 전개됨
  – 대구에서 시작, 전국적인 금 모으기, 금주 · 금연 운동
  – 대한매일신보의 지원

2) 근대 사회로 변화

① 평등 사회로 이행 : 갑신정변, 동학 농민 운동(신분제 폐지 주장) → 갑오개혁으로 신분제 폐지

② 근대적 사회의식 확산
  – 독립협회 : 만민공동회를 통해 평등 의식 확산, 의회 설립 운동을 통한 자유 민권 운동 전개
  – 애국 계몽 운동 : 근대적 정치의식과 민족의식 고양 → 민주 공화정의 근대 국민 국가 수립 구상

02 | 근대 문물 수용

1. 근대 시설 도입

1) 개항 이후 문물 수용 : 동도서기론적 입장에서 서양의 과학 기술 도입

① 시찰단 파견 : 조사 시찰단(일본), 영선사(청), 보빙사(미국)

② 개화 정책 추진 : 박문국(인쇄, 한성순보 발간), 기기창(무기), 전환국(화폐), 우정총국(우편 사무)

2) 근대 시설 도입

① 통신
- 전신 : 부산 ~ 나가사키, 서울 ~ 부산; 조선, 청, 일본 연결
- 전화 : 궁궐에 처음 가설 → 민가로 확대
- 전기 : 경복궁 전등 설치(1887), 한성 전기 회사(한미합작), 전등과 전차 가설

② 의료 : 광혜원(1885, 최초의 근대식 병원, 후에 제중원으로 개명), 세브란스 병원(개신교)

▲ 경인선 개통(1899)

▲ 광혜원

2. 근대 교육과 문화

1) 근대 교육

① 최초의 근대 학교 : 원산 학사(사립 학교)

② 관립 학교 설립 : 육영공원(1886), 고종의 교육 입국 조서 발표(갑오개혁) 이후 활성화

③ 사립 학교 설립 운동 : 을사늑약 이후 애국 계몽 운동기 활성화 → 통감부의 탄압, 사립 학교령으로 통제(학교 설립 허가제), 교과서 검정 규정으로 통제

2) 근대 언론

① 한성순보 : 최초의 근대 신문, 관보

② 독립신문 : 서재필, 최초 민간 신문, 한글 · 영문판

③ 황성신문 : 국 · 한문 혼용, 장지연 시일야방성대곡(을사늑약 비판)

④ 대한매일신보 : 양기탁과 영국인 베델이 발행, 국채보상 운동 지원

한성순보 ▶

◀ 대한매일신보

3) 예술과 건축

① 문학 : 신소설(이인직의 '혈의 누'), 신체시(최남선의 '해에게서 소년에게'), 대체로
   순 한글, 언문일치의 문장

② 음악 : 창가(서양 악곡에 우리 말 가사를 붙임)

③ 건축 : 명동성당, 덕수궁 석조전

▲ 명동성당

Exercises

01 근대 시설이 설치되는 과정에서 일본은 (   )을 획득했는데 이는 대륙 침략 의도를 가지고 있었기 때문이다.

02 재정 고문 메가타는 (   )을 통해서 새 화폐로 교환한다는 명목으로 우리의 금융 자본을 붕괴시켰다.

03 나라 빚을 갚아 일본의 경제적 예속에서 벗어나려고 (   )이 대구에서 시작되었다.

04 최초의 근대 교육 기관으로 (   )가 설립되었고, 최초의 근대 신문으로 (   )가 발행되었다.

정답   1. 철도부설권   2. 화폐정리 사업   3. 국채보상운동   4. 원산학사, 한성순보

VII

·

민족의 독립 운동

01 일제의 식민지 지배 정책

01 | 1910년대 무단통치

1. 무단통치 : 헌병 경찰 통치

1) 배경 : 우리 민족의 독립 운동을 사전에 차단하기 위해 실시

2) 성격 : 무력에 의한 강압적이고 위압적인 통치

3) 내용

① 조선 총독부 설치 : 현역 군인인 총독이 입법, 사법, 군사권 장악

② 헌병 경찰제 : 헌병을 동원한 무단통치

③ 즉결 심판권 행사, 조선 태형령 실시(한국인에게만 적용)

④ 공포 분위기 조성 : 관리, 교원까지 칼을 차고 제복을 입게 함

⑤ 기본권 박탈 : 언론·출판·집회·결사의 자유 박탈 – 민족 언론 폐간, 민족 운동 단체 해산

⑥ 중추원 : 명목상 총독부 자문 기구

▲ 조선 총독부 건물

▲ 태형 도구

2. 1910년대 경제 수탈

1) 토지 조사 사업(1912~1918)

① 명분 : 근대적 토지 소유제 확립을 위한 토지 소유권 재조사, 공정한 토지세 부과, 토지 생산력 향상

② 목적 : 안정적인 토지세 확보, 토지 약탈

③ 방법 : 기한부 신고제(짧은 기간 내에 까다로운 절차를 거쳐 신고해야 소유권 인정)

④ 결과
- 미신고 토지의 약탈 : 미신고 토지, 왕실·공공 기관 및 신고 주체가 불분명한 토지를 총독부에 귀속시킴
- 농민들의 경작권, 입회권, 영구 소작권 상실 → 기한부 소작농으로 전락, 만주·연해주 등지로 이주
- 총독부가 동양 척식 주식회사나 일본인에게 불하 → 일본인 이주민 증가

2) 회사령 실시
① 회사령 실시(1910) : 회사 설립 시 총독부의 허가를 받도록 함, 한국인의 민족 자본 성장을 저지
② 광업령과 어업령 : 자원 수탈과 어장 독점
③ 산림령과 임야 조사령 : 산림 이용 억제

02 | 1920년대 문화통치

1. 문화통치 : 민족 분열 통치
   1) 배경 : 3·1 운동의 전개, 국제 여론 악화
   2) 문화통치의 본질 : 한국인의 불만을 무마하고 우리 민족의 분열 획책, 친일파 육성
   3) 문화통치의 기만성

일제의 정책	실제 내용
문관 총독 임명 가능	해방 될 때까지 단 한명의 문관 총독도 임명되지 않음
보통 경찰제 실시	경찰의 수·예산·장비는 대폭 증가, 치안유지법
일본인과 조선인의 동등한 교육	초등 교육과 실업 교육 위주
한글 신문 간행 허용	사전 검열, 삭제, 정간, 폐간 등 탄압
참정권 부여	일부 지역에서만 참정권 부여, 친일파 양성

2. 1920년대 경제 수탈
   1) 식량 수탈 : 산미 증식 계획(1920~1934)
      ① 배경 : 일본 내 급격한 공업화 → 일본 농촌 인구의 도시 집중으로 식량 부족

② 내용 : 개간, 간척 사업, 수리 시설 개선, 종자 개량 등으로 생산량 증대 → 증산 목표를 이루지 못했으나 수탈량은 계획대로 진행

③ 결과

- 식량 사정 악화 : 증산량보다 더 많은 양을 일본으로 반출, 만주에서 잡곡 수입

- 증산 비용 부담 : 수리 조합비, 품종 개량비 등 농민이 부담

- 농업 구조 왜곡 : 쌀 중심의 단작 농업화, 논 비중 증가

산미증식 계획과 농민 경제

일제가 추진한 산미증식 계획으로 미곡의 생산량은 증가하였다. 문제는 증산량보다 일본으로 가져가는 수탈량이 더 많은 데 있다. 이 때문에 한국인의 1인당 쌀 소비량은 크게 감소하였다.

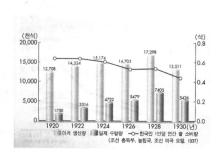

2) 회사령 철폐(1920)

① 목적 : 일본 자본의 자유로운 한국 진출

② 내용 : 회사 설립을 허가제에서 신고제로 전환

③ 결과 : 일본 대기업의 본격적인 한국 진출, 한국인은 대부분 소규모 제조업이나 유통 관련 회사 설립

3) 관세 폐지(1923) : 값싼 일본 제품 수입 증가

03 | 1930년대 민족 말살 통치

1. 민족 말살 통치(1930년대 이후)

1) 배경 : 대공황으로 인한 난국을 타개하기 위해 대륙 침략 감행(만주 사변과 중·일 전쟁 등 침략 전쟁 본격화)

2) 목적 : 전쟁에 필요한 인적·물적 자원 수탈을 강화하기 위해 한국인의 민족의식 말살

3) 민족 말살 정책 : 1937년 중·일 전쟁 이후 본격화

① 황국 신민 서사 암송, 내선 일체, 일선 동조론 주장

② 궁성 요배, 신사 참배 강요, 일본식 이름 사용 강요

③ 한국어와 한국사 교육 금지, 조선·동아일보 폐간, 국민학교 명칭 사용

> **내선일체** : 일본(내)과 한국(조선; 선)은 하나다라는 뜻이다.
> **일선동조론** : 일본과 한국(조선; 선)은 같은 조상을 갖고 있다라는 뜻이다.

4) 농촌 진흥 운동

① 전개 : 농민의 자력갱생, 춘궁 농가 식량 문제 해결, 농촌 부채 근절 지향

② 실상 : 농민의 긴축 생활, 납세 독려 – 농민들은 여전히 고율의 소작료에 시달림, 금융기관에 대한 부채 증가

2. 1930년대 이후 경제 수탈

1) 병참기지화 정책

① 목적 : 대공황 극복을 위한 침략 전쟁 전개, 한반도를 군수 물자 공급지로 이용

② 내용

– 공업화 추진 : 북부 지방에 발전소 건립, 금속 · 기계 · 화학 공업에 집중 투자

– 남면북양 정책 : 남부에 면화 재배, 북부에 양을 길러 공업 원료 수탈

③ 결과 : 중화학 중심의 군수 공업 위주 개편, 북부 지역에 공업 생산 집중, 일본의 대기업 재벌 성장

2) 국가 총동원법(1938)

① 인력 강제 동원 : 지원병제, 국민 징용령, 학도 지원병제, 징병제, 여자 정신 근로령

② 물적 자원 수탈 : 미곡 공출제, 식량 배급제, 금속 공출제

▲ 황국신민서사를 행하는 학생　　　▲ 군 위안부 여성　　　▲ 일제의 금속 공출

> **국가 총동원법**
>
> 중·일 전쟁 이후 1938년 4월에 일제가 인적 · 물적 자원의 총동원을 위해 제정 · 공포한 전시통제의 기본법

Exercises

01   1910년대 일제는 (　　　　　　　　)를 통해 강압적이고 위압적인 무단통치
를 뒷받침하였다.

02   1910년대 일제는 (　　　　　　　)을 통해서 일본의 안정적인 지세 수입과
토지 약탈을 도모하였다.

03   3·1 운동 이후 일제는 무단통치에서 (　　　　　)로 전환하여 민족을 기
만하고 분열시키려 하였다.

04   1920년대 일제의 경제 수탈 정책인 (　　　　　　　)은 일본 내에 부족한
식량을 해결하려는 의도였다.

05   1930년대 일제는 군수품 조달을 용이하게 하기 위해 (　　　　　　) 정책
을 시행하였다.

06   중·일 전쟁 이후 1938년 (　　　　　　　)을 제정하여 전쟁에 필요한 인
적 자원과 물적 자원의 수탈을 강화하였다.

정답   1. 헌병경찰 제도   2. 토지조사 사업   3. 문화통치   4. 산미증식 계획
5. 병참기지화   6. 국가 총동원법

02 3·1 운동과 대한민국 임시정부

01 | 민족의 독립 선언 3·1 운동

1. 1910년대의 민족 운동

1) **1910년대 국내의 민족 운동**
   ① 일제의 민족 운동 탄압 : 105인 사건 조작으로 신민회 해산
   ② 국내 항일 비밀 결사
       – 독립의군부 : 고종의 밀명으로 결성, 복벽주의 표방, 의병 전쟁 계획
       – 대한 광복회 : 군대식 조직, 공화정 주장, 친일 부호 처단

2) **3·1 운동 이전의 상황**
   ① 국제 정세
       – 윌슨의 민족자결주의, 소련의 약소국 지원 표명
       – 김규식의 파리 강화회의 참석
       – 무오독립선언, 2·8 독립 선언
   ② 국내 민족 운동 준비 : 천도교, 불교, 기독교 지도자와 학생 대표 중심으로 고종의 국장일에 대규모 시위 준비

2. 3·1 운동 전개

1) **3·1 운동 전개 과정**
   ① 시작 : 민족 대표(태화관), 학생과 시민(탑골공원) – 독립 선언서 낭독, 전국 주요 도시에서 시위 전개
   ② 국내 확산 : 전국으로 확산, 농촌으로 확산되면서 점차 조직화되고 격렬해짐
   ③ 일제의 탄압 : 군대와 헌병 경찰의 무력 진압과 발포, 유관순 열사, 제암리 사건
   ④ 국외 확산 : 동포 거류지역인 간도와 연해주, 미국 등지에서 만세 시위 전개

2) **3·1 운동의 의의와 영향**
   ① 전 민족적인 독립운동 : 지식인, 학생 중심, 노동자, 농민의 참여
   ② 대한민국 임시정부의 수립에 영향 : 민족 독립 운동의 조직화, 체계화의 필요성 인식
   ③ 일제의 통치 방식 변화 : 무단통치 → 문화통치
   ④ 아시아 민족 운동에 영향 : 중국의 5·4 운동, 인도의 비폭력 독립운동 등

02 | 대한민국 임시정부 활동

1. 대한민국 임시정부 수립

1) 임시정부의 수립(1919)

① 대한 국민 의회 : 연해주의 블라디보스토크에 수립, 무장투쟁론 주장

② 대한민국 임시정부 : 신한청년당 중심으로 상하이에 민주 공화국 정부 수립, 외교 독립론

③ 한성 정부 : 국내에서 13도 대표 명의로 수립

2) 임시정부 통합

① 한성 정부안 수용, 정부 위치는 상하이, 명칭은 대한민국 임시정부

② 정부 형태
- 3권 분립 : 국무원(행정), 임시 의정원(입법), 법원(사법)
- 최초의 민주 공화제 정부

③ 이승만을 대통령(외교론), 이동휘를 국무총리로 선출(무장 투쟁론)

3) 대한민국 임시정부 활동

① 군자금 모금
- 연통제(비밀 행정 조직), 교통국(통신기관) 설치 : 국내외 정보 수집, 연락 업무 및 군자금 모집
- 애국공채 발행, 이륭양행, 백산상회

② 외교 활동 : 파리 강화회의 대표 파견(김규식), 구미위원부(미국, 이승만) 설치

③ 문화 활동 : 독립신문 발행, 사료 편찬소 설립

④ 군사 활동 : 만주 독립군 단체들과 연결, 육군 주만 참의부 편성

2. 대한민국 임시정부 침체

1) 국민 대표 회의

① 배경 : 연통제와 교통국 와해, 독립 운동 방향에 대한 갈등, 이승만의 위임통치 요청

② 국민 대표 회의 개최(1923) : 창조파와 개조파의 대립, 많은 독립운동가 이탈로 대한민국 임시정부 위상 약화

2) 대한민국 임시정부 자구 노력

① 이승만 탄핵, 구미위원부 폐지

② 내각 중심의 국무령제 개편

③ 한인 애국단(1931) 조직 : 침체된 임시정부의 새로운 활로 개척

Exercises

01 3 · 1 운동에 미국 대통령 윌슨의 (　　　　　　)와 일본 유학생들의
(　　　　　　)이 상당한 영향을 주었다.

02 대한민국 임시정부는 한성정부의 정통성을 계승하고 위치는 (　　　)에
두었다.

03 대한민국 임시정부의 비밀 행정 조직인 (　　　　)는 국내외의 연락과 군
자금 조달을 담당하였다.

04 1919년 일제의 강압적인 통치와 민족의 강제병합에 대항한 전 민족적인
독립운동인 (　　　　　　)이 일어나 민족의 독립의지를 세상에 알렸다.

정답　1. 민족자결주의, 2 · 8 독립선언　　2. 상하이　　3. 연통제　　4. 3 · 1 운동

03 3·1 운동 이후 국내 민족 운동

01 | 경제적 · 사회적 민족 운동

1. 실력 양성 운동 전개

1) 물산 장려 운동(1920년대 초)

① 배경 : 회사령 폐지, 관세 철폐, 일부민족 기업 성장

② 전개
- 평양에서 시작, 조선 물산 장려회(조만식), 자작회 조직 → 전국적으로 확산
- '내 살림 내 것으로', '조선사람 조선 것으로' : 민족 기업 육성 운동 전개

③ 결과 : 일제의 개입, 상품 가격 상승, 사회주의 진영의 비판

▲ 물산 장려 운동

2) 민립 대학 설립 운동

① 배경 : 초등 교육과 실업 교육에 한정, 고등 교육에 대한 대책 부재, 대학 설립 가능

② 전개 : 조선 민립 대학 기성 준비회(1923)의 모금 운동(한민족 1천만이 한 사람이 1원씩)

③ 결과 : 일제 탄압, 자연 재해 등으로 실패, 일제의 경성제국 대학 설립

> **민립 대학 설립 기성회의 발기 취지서**
>
> 우리의 운명을 어떻게 개척할까? … 그러나 그 기초가 되고 가장 힘 있고, 필요한 수단은 교육이 아니면 아니된다. … 민중의 보편적 지식은 보통 교육으로도 가능하지만 심오한 지식과 학문은 고등 교육이 아니면 불가능하다. … 대학의 설립이 아니고는 다른 방도가 없도다.

3) 농촌 계몽 운동

① 1920년대 초 : 개량 서당, 야학, 강습소 개설 운동 전개

② 한글 보급 운동 : 조선일보 주도, '아는 것이 힘, 배워야 산다'

③ 브나로드 운동 : 동아일보 주도, '민중 속으로'

④ 문맹퇴치 운동 : 조선어 학회의 한글 교재 제작 및 보급, 조선어 강습회 개최

2. 민족 협동 전선 운동의 전개

1) 6 · 10 만세 운동(1926)

① 배경 : 순종의 서거, 사회주의 계열과 천도교 그리고 학생 단체의 만세 시위 추진

② 의의

　－ 학생들이 항일 민족 운동의 구심체로서 자신들의 역할 자각

　－ 학생 운동이 대중적 차원의 항일 민족 운동으로 발전

　－ 사회주의 세력과 민족주의 세력의 연대 시도

2) 신간회 결성

① 창립

　－ 정우회 선언(1926. 11) : 사회주의 계열의 정우회가 비타협적 민족주의 세력과 협동 주장

　－ 신간회 창립(1927) : 민족 유일당으로써 비타협적 민족주의 세력과 사회주의 세력이 결합

② 활동

　－ 강연회 · 연설회 개최, 노동 · 농민 운동 지원, 청년 · 여성 · 형평 운동과 연계

　－ 광주 학생 항일 운동 적극 지원

　－ 여성 단체 근우회와 함께 활동

　신간회

　- 우리는 정치 · 경제적 각성을 촉구함

　- 우리는 단결을 공고히 함

　- 우리는 기회주의를 일체 부인함

3) 광주 학생 항일 운동(1929)

    ① 배경 : 통학 열차에서 일본인 남학생이 한국 여학생 희롱, 한·일 학생 사이에 충돌 발생

    ② 전개 : 광주 지역 학생 총궐기, 전국적 시위로 확산, 신간회 진상 조사단 파견 및 민중 집회 계획

    ③ 의의 : 3·1 운동 이후 최대 규모의 항일 민족 운동

3. 사회 운동

1) 농민 운동 전개

    ① 1920년대 소작쟁의 : 소작료 인하, 소작권 이동 반대 등 농민의 생존권 투쟁, 암태도 소작쟁의(1923) → 조선 농민 총동맹 결성(1927)

    ② 1930년대 소작쟁의 : 일본 제국주의 타도와 농민의 토지 소유 도모 → 항일 민족 운동으로 발전

2) 노동 운동 전개

    ① 1920년대 : 회사령 철폐, 노동자 수와 공장 증가, 사회주의의 유입 → 생존권 투쟁(임금 인상, 노동 조건 개선), 원산 노동자 총파업(1929) 등

    ② 1930년대 : 일본 자본의 본격적인 침투 → 노동자 수의 급증, 저임금과 노동 시간 연장, 일제의 탄압 강화 → 비합법적 노동조합 형태로 쟁의 전개(혁명적 노동 운동)

3) 사회적 민족 운동

    ① 청년 운동 : 청년 계발과 계몽 활동을 통해 민족의 실력 양성 추구 → 사회주의 사상의 영향으로 청년 운동 분열 → 조선 청년 총동맹(청년계의 민족 유일당 운동)

    ② 소년 운동 : 천도교 소년회(방정환), 어린이날 제정

    ③ 여성 운동 : 근우회(민족 유일당 운동), 여성에 대한 봉건적 차별 극복

    ④ 형평 운동 : 백정에 대한 차별 폐지 주장, 조선 형평사 창립(1923)

형평 대회 취지문

공평은 사회의 근본이고 애정은 인류의 본령이다. 그러한 까닭으로 우리는 계급을 타파하고 모욕적 칭호를 폐지하여, 우리도 참다운 인간이 되는 것을 기하자는 것이 우리의 주장이다.

4) 국외 이주 동포의 활동과 시련

지역	활동과 시련
만주	· 1900~1910년대 독립운동 기지 건설 · 1920~1930년대 무장 항일 투쟁 : 봉오동 전투, 청산리 대첩, 3부 활동, 조선 혁명군과 한국 독립군 활동 · 간도 참변(1920)
연해주	· 1900~1910년대 독립운동 기지 건설 · 1920년대 자유시 참변 · 1937년 소련에 의해 중앙아시아로 강제 이주
일본	· 19세기 말부터 유학생의 이주 · 1920년대 관동대지진으로 인한 사회 불안을 조선인에게 돌려 조선인 학살 · 1940년대 징용, 징병으로 강제 이주
미주	· 하와이 사탕수수 농장으로 농업 이주 · 대한인 국민회, 대조선 국민군단

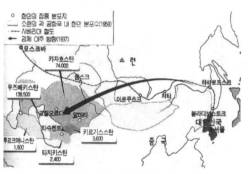

▲ 연해주 동포의 중앙아시아 강제 이주

▲ 일본 징용 노동자의 글

02 | 민족 문화 수호 운동

1. 민족의 역사와 국어 수호

1) 한국사의 왜곡

① 일제의 식민 사관

– 정체성론 : 한국은 봉건 사회가 결여되었기 때문에 근대 사회로 이행할 수 없어, 한국의 근대화를 위해 일본의 역할이 필요하다는 주장

- 타율성론(반도 사관) : 한국이 주변 외세의 간섭과 힘에 의해 역사적 발전을 해왔다는 논리
- 당파성론 : 조선의 붕당 정치를 부정적으로 해석, 한국인은 분열성이 강해 항상 내분으로 싸웠다는 주장

② 조선사 편수회 : 식민 사관 유포, 조선사 발간, 청구 학회를 내세워 식민 사관 전파

2) 국어 연구

① 조선어 연구회(1921~1931) : 한글 연구 · 보급을 위해 잡지 '한글' 발행, '가갸날' 제정

② 조선어 학회(1931~1942)

   ㉠ 활동 : 조선어 연구회 계승, 한글 맞춤법 통일안 제정, 한글 표준어 제정, 우리말 큰사전 편찬 시도

   ㉡ 조선어 학회 사건(1942) : 일제의 조선어 말살 정책 → 조선어 학회 강제 해산, 사전 편찬 작업 중단

조선어 학회 사건(1942)

일제가 조선어 학회의 활동을 민족 운동으로 보고 치안유지법을 적용하여 회원들을 대거 체포, 투옥한 사건이다. 이 사건으로 조선어 학회가 해체되고 이윤재, 한징 등이 고문으로 옥사하였다.

3) 한국사 연구

① 민족주의 역사학 : 독립 운동의 일환

   ㉠ 신채호 : 민족주의 역사학의 기틀 마련, 묘청의 서경천도 운동을 높이 평가, '역사는 아와 비아의 투쟁' 강조, 일본의 고대사 왜곡에 대항, 「조선상고사」, 「조선사 연구초」

   ㉡ 박은식 : 민족의 '혼' 강조, 「한국통사」, 「한국독립운동지혈사」 등

② 사회 경제 사학 : 유물론을 바탕으로 한국사를 세계사의 보편적 전개 과정에 입각하여 연구, 백남운

③ 실증사학 : 실증주의적 사관에 입각하여 한국사를 연구, 이병도, 손진태 등이 진단학회 조직

2. 사회 · 문화 변화

1) 종교계 활동

① 천도교 : 동학에서 개칭, 3 · 1 운동 주도, 어린이날 제정(방정환), '개벽', '신여성' 잡지 간행

② 대종교 : 나철 · 오기호 등이 창시, 단군 숭배 사상, 만주(간도)에서 무장 독립 투쟁 주도

③ 불교 : 한용운 등이 조선 불교 유신회 조직

④ 원불교 : 박중빈 창시, 개간사업, 저축 운동

⑤ 개신교 : 3 · 1 운동 주도, 사립학교 설립, 신사 참배 거부 운동

⑥ 천주교 : 고아원 · 양로원 설립, 잡지 '경향' 발행

2) 문학과 예술 활동

① 문학 활동

1910년대	계몽주의 성향 : 최남선의 신체시, 이광수의 무정	
1920년대	저항 문학	김소월(진달래), 한용운(님의 침묵), 심훈(그날이 오면)
	신경향파 문학	사회주의 문학 등장
1930년대	저항 문학	윤동주, 이육사
	순수 문학	문학 자체 강조 – 현실 도피적
	친일 문학	일제 찬양 – 이광수, 최남선, 주요한, 서정주, 모윤숙

② 예술 활동

㉠ 음악 : 홍난파, 현제명, 안익태

㉡ 미술 : 이중섭, 안중식, 고희동

㉢ 연극 : 토월회, 극예술 연구회

㉣ 영화 : 나운규(아리랑)

3) 의식주 생활의 변화

① 의생활

– 서양식 복장 증가, 바지와 셔츠 선호

– 중 · 일 전쟁(1937년) 이후 : 국민복 강조, 여성들 일바지 강요

② 식생활

– 청량 음료와 식용유 전래, 일본의 조미료 소개

– 공출로 잡곡 소비 증가, 식량 배급제

③ 주생활 : 개량 한옥 보급, 토막집

Exercises

01 민족 기업 육성을 목적으로 한 ( )은 평양에서 시작되었다.

02 민족 유일당 운동으로 비타협적 민족주의계와 사회주의계가 결합한 ( )가 조직되었다.

03 진주에서 시작한 ( )은 백정에 대한 사회적 차별을 철폐하려는 사회운동이었다.

04 ( )는 한글 맞춤법 통일안과 표준어를 제정하는 등 한글을 지키기 위해 노력하였다.

05 일제의 역사 왜곡에 대항하여 ( )는 민족주의 역사학의 기틀을 확립하고, 조선상고사와 조선사 연구초를 저술하였다.

정답   1. 물산장려 운동   2. 신간회   3. 형평운동   4. 조선어 학회   5. 신채호

04 무장 독립 전쟁과 건국 준비 활동

01 | 무장 독립 전쟁의 전개

1. 1920년대 무장 독립 전쟁

1) 봉오동 전투, 청산리 대첩(1920)

① 봉오동 전투 승리 : 홍범도, 대한 독립군 중심

② 청산리 대첩 : 김좌진, 북로 군정서 중심, 일제의 훈춘 사건 조작으로 독립군 추격, 백두산 근처 청산리에서 6일간의 10여 차례 접전 끝에 대승

청산리 전투

1920년 10월 21일 ~ 26일 김좌진이 이끄는 북로군정서와 홍범도가 이끄는 대한 독립군 등이 주축이 된 독립군 부대가 만주 허룽현 청산리, 백운평, 천수평, 완루구 등지에서 10여 차례에 걸친 전투에서 일본군을 대파한 전투이다. 독립 전쟁 역사상 최대 규모의 승리였다.

김좌진과 북로군정서

2) 독립 전쟁의 시련

① 간도 참변(1920) : 일제가 독립군 소탕 이유로 간도 지역의 조선인을 대량 학살

② 자유시 참변(1921) : 러시아 혁명군의 독립군 무장 해제 요구, 독립군 살상 등 큰 피해

③ 미쓰야 협정(1925) : 일제와 만주 군벌의 독립군 색출에 대한 협약

3) 독립군의 재정비

① 3부 성립 : 만주 지역 독립 운동 단체 통합 – 참의부, 정의부, 신민부(민정 · 군정 기관 갖춤)

② 3부 통합 운동 : 민족 유일당 운동의 영향 → 국민부(남만주, 조선혁명군, 양세봉), 혁신 의회(북만주, 한국 독립군, 지청천)로 통합

2. 의열단과 한인 애국단

1) 의열단의 활동

① 조직 : 김원봉 결성(1919), 조선 혁명 선언(신채호) 채택

② 활동

- 소수 인원으로 일제 요인 사살 및 식민 지배 기구 파괴
- 김익상(조선 총독부 투탄), 김상옥(종로 경찰서 투탄), 나석주(동양 척식 회사 투탄) 등

③ 발전 : 개별 투쟁의 한계 인식 → 조직적 · 대중적인 무장 투쟁 전개, 조선 민족 혁명당 결성

2) 한인 애국단의 활동

① 배경 : 국민 대표 회의 이후 임시정부의 침체, 만보산 사건 등으로 중국 내 반한 감정 고조

② 한인 애국단 결성 : 김구 조직

㉠ 이봉창 : 일본 도쿄에서 일본 국왕 폭살 기도(1932) → 실패

㉡ 윤봉길 : 상하이 훙커우 공원 의거(1932) → 중국 국민당의 지원과 중국 내 무장 투쟁 허용의 계기

▲ 이봉창 열사

▲ 김구와 윤봉길 의사

▲ 김원봉

3. 1930년대 무장 독립 전쟁

1) 1930년대 초반 : 한 · 중 연합 작전 전개

① 한국 독립군 : 지청천, 중국 호로군과 연합 → 쌍성보, 사도하자, 대전자령 전투 전개

② 조선 혁명군 : 양세봉, 중국 의용군과 연합 → 홍경성, 영릉가 전투 전개

2) 1930년대 후반

① 동북 항일 연군 : 보천보 전투, 조국 광복회 결성

② 조선 의용대 : 조선 민족 혁명당 조직 → 한국 광복군에 합류, 일부는 화북 이동(조선
의용대 화북 지대)

4. 1940년대 무장 독립 전쟁

1) 대한민국 임시정부의 정비

① 한국 독립당 결성(1940) : 한국 광복 운동 단체 연합회 소속 여러 정당 통합

② 주석제 개헌(1940), 건국 강령 삼균주의 채택

③ 조선 민족 혁명당 합류(1942)

2) 한국 광복군의 창설과 활동

① 충칭에서 한국 광복군 창설(1940), 조선 의용대 합류(1942)

② 대일 선전 포고(1941) : 연합군 일원으로 참전

③ 영국군과 연합작전(1943) : 인도, 미얀마 전선에서 활약

④ 국내 진공 작전 계획(1945.9) : 미국과 함께 준비 → 일제의 항복으로 무산

▲ 한국 광복군

▲ 인도로 간 한국 광복군

02 | 건국 노력과 국제 사회 움직임

1. 국내외 건국 노력

1) 대한민국 임시정부(국외, 충칭)

① 조소앙의 삼균주의를 바탕으로 건국 강령 발표

② 일본에 선전 포고 후 한국 광복군 활동

③ 민주 공화국 수립 목표

2) **조선 독립 동맹**(국외, 옌안)

　① 사회주의 계열, 최창익, 허정숙, 무정 등을 중심으로 결성

　② 조선 의용군을 창설하여 항일 투쟁, 해방 후 북한 인민군에 편입

　③ 민주 공화국 수립 목표

3) **조선 건국 동맹**(국내, 1944)

　① 여운형이 건국 준비를 위하여 좌우 합작의 형태로
　　조직한 비밀 조직

　② 8·15 광복 직후 조선 건국 준비 위원회로 개편하
　　여 전국 치안 유지

　③ 민주 공화국 수립 목표

▲ 몽양 여운형

독립운동 세력이 발표한 건국 강령의 공통점

보통선거, 토지 개혁, 주요 산업 국유화, 친일파 청산 → 민주 공화국 추구

삼균주의

정치, 경제, 교육의 균등을 통해 개인 간, 민족 간, 국가 간의 불균형을 시정하자는 이론
으로 임시정부 건국 강령의 바탕이 되었다.

2. 국제 사회의 움직임

1) **카이로 회담**(1943)

　① 영국, 미국, 중국의 정상이 전후 처리 문제 논의

　② 일제의 항복 후 한국을 독립시키는 데 합의

　③ 최초로 국제 사회가 한국의 독립을 약속함

2) **얄타 회담**(1945.2)

　① 미국, 영국, 소련 정상이 전후 독일에 대한 처리 합의

　② 독일과 전쟁이 끝난 후 소련이 일본에 선전 포고를 하고 참전한다는 데 합의

3) **포츠담 회담**(1945)

　① 미국, 영국, 중국 대표들 회담

　② 일본에 무조건 항복 요구, 전쟁 범죄자 처벌, 언론·종교·사상의 자유 보장

　③ 카이로 선언 이행을 재확인하는 선언문 채택, 한국의 독립 재확인

01 1920년 김좌진 장군이 이끈 독립군 연합 부대는 (   )에서 일본군의 대대적인 공격을 크게 무찌르면서 승리하였다.

02 대한민국 임시정부 산하 부대인 (   )은 대일 선전 포고를 통해 연합군과 함께 참전하고, 국내 진공작전도 계획하였다.

03 항일 의거 단체로 김원봉이 조직한 (   )과 김구가 조직한 (   )이 있었다.

04 조선 독립 동맹, 조선 건국 동맹, 대한민국 임시정부 등은 독립 이후에 국가의 형태로 (   )을 목표로 하였다.

05 1943년 미국, 영국, 중국은 (   )에서 한반도의 독립을 최초로 약속하였다.

정답   1. 청산리 전투   2. 한국 광복군   3. 의열단, 한인 애국단   4. 민주 공화국
5. 카이로 회담

VIII

·

현대 사회의 발전

UPGRADE·HISTORY

대한민국 정부 수립

01 | 8·15 광복과 신탁 통치

1. 8·15 광복

1) 8·15 광복과 국토 분단

① 8·15 광복(1945) : 우리 민족의 끊임없는 독립운동 전개, 연합국의 독립 약속 → 일본 히로시마와 나가사키에 원자 폭탄 투하, 소련의 대일선전 포고 후 참전 → 일본의 항복

② 국토 분단 : 38선을 경계로 이북에는 소련군이, 이남에는 미군이 주둔

2) 조선 건국 준비 위원회 활동

① 광복 직후 여운형 중심으로 조직, 좌·우익 인사의 광범위한 참여

② 치안대 및 전국에 지부 창설, 조선 인민 공화국 선포

3) 미·소 군정 실시

① 미 군정(38선 이남) : 직접 통치 선언, 대한민국 임시정부와 조선 건국 준비 위원회(조선 인민 공화국) 불인정

② 소 군정(38선 이북) : 간접 통치 방식, 인민 위원회 자치 인정

조선 인민 공화국

1945년 9월 미군 선발대가 서울에 도착하자 여운형 등이 조선 건국 준비 위원회를 중심으로 조선 인민 공화국의 수립을 선포하였다. 이후 미군정에 의해 조선 인민 공화국이 부정되면서 점차 와해되었다.

2. 신탁 통치를 둘러싼 대립

1) 모스크바 3국 외상회의(1945.12)

① 미국, 영국, 소련의 3국 외무장관회의 개최

② 한반도에 민주주의 임시정부 수립, 최대 5년간의 신탁통치 실시, 미·소 공동위원회 개최

③ 국내 반응

　　㉠ 신탁 통치 반대 : 대한민국 임시정부를 비롯한 우익, 즉각적 독립 정부 수립

　　㉡ 신탁 통치 지지 : 사회주의 계열, 임시정부 수립 우선

신탁 통치

독립할 단계에 이르지 못한 비자치 지역을 UN의 감독 하에 특정 국가가 통치하는 국제적 위임 통치이다.

▲ 우익의 반탁 운동

▲ 좌익의 찬탁 운동

2) 좌우 합작 운동

① 제 1차 미·소 공동위원회 : 임시정부 참여 단체 문제로 결렬

② 이승만의 정읍 발언(1946.6) : 남한만의 단독 정부 수립 주장

③ 좌·우 합작 위원회 : 여운형, 김규식 등 중도 세력, 좌·우 합작 7원칙 발표(좌·우의 반발로 실패)

3) 남북 협상

① 한반도 문제 유엔에 이관 → 유엔 총회(남북한 총선거 결의) → 북한의 거부 → 유엔 소총회(남한만의 단독 선거 결정 : 1948.2)

② 김구·김규식 등이 남북협상을 통한 통일 정부 수립 주장, 남북 제정당 사회단체 지도자 협의회 참가(1948.4. 평양), 실질적인 성과 없이 종결

4) 정부 수립을 둘러싼 갈등

① 제주 4·3 사건 : 제주도 좌익 세력이 단독 총선거 반대하며 무장봉기 → 정부의 대대적인 진압으로 제주도 민간인 희생

② 여수·순천 10·19 사건 : 제주 4·3 사건 진압에 동원된 여수 주둔 군대 내부의 좌익 세력이 일으킨 무장 봉기

02 | 대한민국 정부 수립

1. 대한민국 정부 수립

1) 대한민국 정부 수립(1948.8.15)

① 5·10 총선거(1948) : 남한 단독 총선거 실시(남북협상, 좌익 세력 불참) → 제헌 국회 구성 → 헌법 제정 공포(1948.7.17); 대한민국 국호, 대통령 이승만

② 대한민국 정부 수립(1948.8.15) : 대한민국 정부 수립 선포, 유엔 총회는 한반도 유일의 합법 정부 승인

③ 북한 정권 수립 : 북조선 임시 위원회 발족(1946.2) - 토지개혁과 친일파 처벌 등 사실상 정부 역할 → 조선 민주주의 인민 공화국 수립(1948.9)

▲ 남북협상을 위해 38선을 넘는 김구 일행

▲ 1948년 5·10 총선거

▲ 1948년 대한민국 정부 수립

2) 반민족 행위 처벌법 제정(1948.9) : 친일파 처벌 목적

① 내용 : 친일 행위자 처벌, 공민권 제한 → 반민족 행위 특별 조사 위원회 설치(친일 인사 조사)

② 결과 : 이승만 정부 비협조, 친일 세력 방해로 실패

반민족 행위 처벌법(1948.9)

제1조 일본 정부와 통모하여 한일 합병에 적극 협력한 자, 한국의 주권을 침해하는 조약 또는 문서에 조인한 자와 모의한 자는 사형 또는 무기 징역에 처하고, 그 재산과 유산의 전부 혹은 2분의 1 이상을 몰수한다.

제2조 일본 정부로부터 작위를 받은 자 또는 일본 제국 의회의 의원이 되었던 자는 무기 또는 5년 이상의 징역에 처하고 그 재산과 유산의 전부 혹은 2분의 1 이상을 몰수한다.

제3조 일본 치하 독립 운동자나 그 가족을 악의로 살상, 박해한 자 또는 이를 지휘한 자는 사형, 무기 징역 또는 5년 이상의 징역에 처하고, 그 재산과 유산의 전부 혹은 일부를 몰수한다.

3) 농지 개혁(1949년 제정, 1950년 시행)

① 특징 : 1가구 당 3정보 소유 상한, 유상매입·유상분배 방식

② 의의 : 지주 중심의 토지 소유 폐지, 농민의 토지 소유 실현

2. 6·25 전쟁

1) 6·25 전쟁 전의 상황

① 북한의 군사력 강화(중국과 소련 지원)

② 남북 대립 격화 : 남북의 무력 통일 주장, 38도선 부근에서 잦은 충돌, 남한의 미군 철수

③ 국제 정세 : 중국인민 공화국 수립, 애치슨 선언 발표

애치슨 선언

1950년 1월 미국 국무장관 애치슨이 발표한 것으로 미국의 태평양 지역 방어선에서 한국과 타이완을 제외한다는 선언이다. 즉 한국에서 발생한 군사적 충돌은 한국 자신이나 유엔에서 해결할 사안이지 미국이 직접 도와줄 수는 없다는 것으로 김일성의 남침 야욕을 더욱 고조시켰다.

2) 전쟁의 전개(1950.6~1953.7)

① 북한의 남침 → 서울 함락과 낙동강 전선 형성 → 유엔군 참전 → 인천상륙작전 → 서울 수복, 평양과 압록강까지 진출 → 중국군 개입 → 1·4 후퇴, 서울 재함락 → 38도선 부근 교착 → 휴전 회담 진행 → 휴전 협정

② 전쟁의 영향

　㉠ 남한

　　· 국토 황폐화, 많은 인명 피해

　　· 전쟁고아와 이산가족, 남북 간의 적대 감정

　　· 반공을 내세워 독재 체제 강화

　　· 한미 상호 방위 조약 체결(미군 주둔)

　㉡ 북한

　　· 김일성 독재 체제 강화

　　· 북한에 대한 중국의 영향력 강화

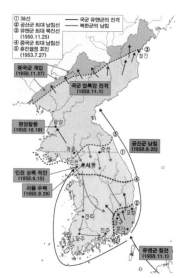

3) 전후 복구와 원조 경제

① 미국의 경제 원조 : 외환 지원, 잉여 농산물 무상 원조

② 영향 : 미국의 무상 원조 처분, 재정 수입 증가, 삼백 산업 발달

③ 한계 : 국내 농산물 하락, 1950년대 후반 미국의 무상 원조 축소, 유상 차관 전환에 따른 경제 불황

Exercises

01 1945년 12월 (   )에서 최대 5년간의 신탁통치안이 결정되어 민족의 분열이 일어났다.

02 남한만의 단독 선거에 반발한 (   ), (   ) 등은 남북협상을 제의하여 북한과 협상하였으나 성과를 거두지 못했다.

03 1948년 8월 15일 인구비례 총선거를 통해 (   )가 수립되어 한반도의 유일한 합법 정부가 되었다.

04 친일파를 처벌하기 위한 (   )을 제정하였으나 이승만 정부의 방해로 성과를 거두지 못했다.

05 경자유전에 따른 (   )으로 농민들의 토지 소유가 실현되었다.

06 낙동강까지 밀린 국군과 유엔군은 맥아더 장군의 (   ) 성공으로 전세를 역전시킬 수 있었다.

정답 1. 모스크바 3국 외상회의   2. 김구, 김규식   3. 대한민국 정부
      4. 반민족 행위 처벌법   5. 농지개혁   6. 인천상륙작전

02 자유 민주주의의 시련과 발전

01 | 민주주의의 시련

1. 이승만 정부와 4 · 19 혁명

1) 이승만 정부(1948~1960)

① 발췌 개헌(1952) : 강압적으로 대통령 직선제의 개헌안 통과 → 대통령 선거에서 이승만 재당선

② 사사오입 개헌(1954) : 초대 대통령에 한해 대통령 중임 제한 조항 철폐 → 장기 집권 추구, 독재 정치 강화

③ 권위주의 통치 : 진보당 사건(조봉암 처형), 국가 보안법 개정, 경향신문 폐간(반정부 기사 게재 이유)

> **발췌 개헌**
>
> 정부가 제출한 대통령 직선제 개헌안과 국회에서 제출한 개헌안 중 일부를 발췌, 절충하여 만들었다하여 붙여진 이름이다.

> **사사오입 개헌**
>
> 당시 개헌안을 통과시키기 위해서는 203명 중 3분의 2 이상의 찬성표가 필요한데 실제 투표에서 135명으로 1명이 부족하여 부결되었다가, 수학의 반올림(사사오입)을 이용하여 다음날 개헌안이 가결되었다고 선포하였다. 의결정족수 미달로 불법적인 헌법 개정이었다. 이는 이승만이 장기집권을 하기 위해 만들어진 헌법이다.

2) 4 · 19 혁명(1960)

① 원인 : 이승만의 독재, 자유당의 부정부패, 미국의 경제 원조 감소로 인한 경제 불황, 3 · 15 부정 선거

② 전개 : 마산 의거(김주열 학생 주검으로 절정) → 고려대 학생 시위 → 학생과 시민 시위, 경찰의 총격, 계엄령 선포 → 대학 교수단 시위 → 이승만의 대통령직 사임 → 허정 과도 정부 수립

③ 의의 : 독재 정권 붕괴, 자유 민주주의 수호

④ 장면 내각(1960~1961) : 내각 책임제, 양원제 의회, 자유 민주주의 실현을 위해 노력, 사회 질서 유지를 위한 정치력 부족 → 5 · 16 군사 정변으로 붕괴

대학교수단 시국 선언문(1960. 4. 25)

이번 4·19 참사는 우리 학생 운동 사상 최대의 비극이요, 이 나라의 정치적 위기를 극복하기 위한 중대 사태이다. 이에 대한 철저한 반성과 규정 없이는 이 민족의 불행한 운명을 도저히 만회할 길이 없다. 우리 전국 대학교 교수들은 이 비상시국에 대처하여 다음과 같이 우리의 소신을 선언한다.
- 이 대통령은 즉시 물러나라.
- 부정 선거 다시 하라.
- 살인귀 처단하라.

이승만 대통령의 담화문(1960. 4. 26)

국민이 원한다면 대통령직을 사임하겠다.
- 3·15 정·부통령 선거에 많은 부정이 있었다 하니 선거를 다시 하도록 지시하였다.
- 선거로 인한 모든 불미스러운 것을 없게 하기 위하여 이미 이기붕 의장에게 공직에서 완전히 물러나도록 하였다.
- 내가 이미 합의를 준 것이지만 만일 국민이 원한다면 내각 책임제 개헌을 하겠다.

2. 5·16 군사 정변과 유신 체제

1) **5·16 군사 정변(1961)** : 군정 실시, 국가 재건 최고 회의 구성, 반공을 국시로 천명, 경제 재건과 사회 안정 표방, 정치 활동 정화법(구정치인들의 정치 활동 금지), 민주 공화당 창당, 중앙정보부 창설, 헌법 개정 → 박정희가 대통령에 당선(1963)

2) **박정희 정부(1963~1972)**

　① 경제 개발 5개년 계획 : 성장 우선 정책, 수출 주도형, 외국 자본 도입

　② 한·일 국교 정상화 : 경제 개발 자금 마련 목적, 6·3 시위 유발 → 시위 진압, 한·일 협정 체결(1965)

　③ 베트남 파병(1964~1973) : 미국의 기술과 차관 제공 약속, 베트남 특수로 경제 성장 발판 마련, 국군의 전력 증강

　④ 3선 개헌(1969) : 대통령 3선 허용, 여당 의원만 참가시킨 채 강행

3) **유신 체제의 등장**

　① 배경 : 닉슨 독트린, 주한 미군의 감축 결정, 국가 안보와 사회 질서 강조, 지속적 경제 성장 추구

　② 유신 헌법(1972) 내용 : 대통령 간선제(통일 주체 국민 회의에서 선출), 대통령 권한 강화(긴급 조치권, 국회 해산권, 국회의원 1/3 추천권)

③ 성격 : 한국적 민주주의를 내세운 권위주의적 독재 통치 체제

④ 유신 체제 반대 : 3 · 1 구국 선언

⑤ 유신 체제 종결 : 제2차 석유 파동과 경기 침체, YH 무역 사건 발생, 부 · 마 민주 항쟁, 10 · 26 사태

▲ 5 · 16 군사정변

▲ 베트남 파병

▲ 통일주체국민회의

유신헌법(1972.10)

제35조 통일주체국민회의는 조국의 평화적 통일을 추진하기 위한 국민의 수임 기관이다.

제39조 ① 대통령은 통일주체국민회의에서 토론 없이 무기명 투표로 선거한다.

제40조 ① 통일주체국민회의는 국회의원 정수의 3분의 1에 해당하는 수의 국회의원을 선거한다.

제53조 ② 대통령은 … 이 헌법에 규정되어 있는 국민의 자유와 권리를 잠정적으로 정지하는 긴급 조치를 할 수 있고, 정부나 법원의 권한에 관하여 긴급 조치를 할 수 있다.

④ 제1항과 제2항의 긴급 조치는 사법적 심사의 대상이 되지 아니한다.

긴급 조치권

대통령의 행정 명령만으로 국민의 자유와 권리에 대해 무제한 제약을 가할 수 있는 초헌법적인 권한이다.

02 | 민주주의의 발전

1. 민주화 운동과 민주주의의 발전

1) 5 · 18 민주화 운동(1980)

① 배경 : 12 · 12(1979) 사태로 신군부의 집권과 비상계엄 확대에 반대하는 대규모 시위 → 광주 지역 대학생들의 민주화 요구 → 무자비한 진압

② 전개 : 광주 시민들이 시위대에 합류, 계엄군의 과잉 진압으로 많은 사상자 발생 → 시민군 조직, 계엄군에 저항 → 계엄군의 무력으로 시민군 진압

③ 의의 : 신군부의 폭력성 노출, 1980년대 민주화 운동의 토대

2) 6월 민주 항쟁(1987)

① 전두환 정부(1981) : 헌법 개정(대통령 간선제, 7년 단임), 삼청교육대 운영, 언론 통폐합, 야간 통행금지 해제, 교복과 두발 자유화, 해외여행 자유화

② 6월 민주 항쟁(1987) : 박종철 고문치사 사건, 4·13 호헌 조치(대통령 직선제 거부) → 전국적 시위로 발전, 이한열 최루탄 피격, 6월 민주 항쟁 → 6·29 민주화 선언(직선제 개헌 약속)

▲ 1980년 5·18 민주화 운동

▲ 6월 민주항쟁(이한열 학생)

▲ 6월 민주항쟁(명동성당)

3) 민주주의의 발전

① 노태우 정부 : 여소야대, 3당 합당, 5·18 민주화 진상 규명 청문회

② 김영삼 정부 : 금융실명제, 지방자치제 전면 시행, 역사바로세우기(전직 대통령 구속, 총독부 건물 제거), OECD 가입, IMF 지원 요청

③ 김대중 정부 : 최초 평화적 여야 정권 교체, 외환위기 극복, 최초 남북 정상 회담

④ 노무현 정부 : 권위주의 청산, 정경유착 단절, 제2차 남북 정상 회담

▲ 법정에 선 전직 두 대통령

▲ IMF 긴급 구제 요청

▲ 제1차 남북 정상회담

Exercises

01 (　　　　　　　　)는 발췌 개헌, 사사오입 개헌 등을 통해 장기집권 체제를 구축하였다.

02 3·15 부정 선거에 대항하여 일어난 시위는 (　　　　)으로 이승만 정권의 종결을 가져왔다.

03 박정희 정부는 (　　　　)을 통해 경제 개발에 필요한 자본을 마련하였으나, 일본의 식민 지배에 대한 사과는 이루어지지 않았다.

04 1980년 (　　　　　　)에서는 신군부 퇴진을 요구하는 민주화 운동이 전개되었다.

05 박종철 고문치사 사건을 계기로 일어난 (　　　　　)은 대통령 직선제 개헌을 요구하는 전국 시위로 전개되었다.

06 (　　　　　)에서는 역사 바로 세우기, 지방자치 전면실시, 금융실명제 등이 이루어졌다.

정답　1. 이승만 정부　2. 4·19 혁명　3. 한·일 협정　4. 5·18 민주화 운동　5. 6월 민주 항쟁　6. 김영삼 정부

03 경제 발전과 사회·문화 발전

01 | 경제 발전

1. 경제 개발 5개년 계획과 경제 성장

1) 1950년대 경제 정책

① 삼백 산업 : 소비재 산업 원료와 미국의 잉여 농산물 원조 → 삼백 산업(제분, 제당, 면방직 공업)의 발달, 비료 공장과 시멘트 공장 건립

② 정경 유착 : 원조 물자 불하 과정에서 특정 기업 혜택

2) 제1차, 2차 경제 개발 5개년 계획(1962~1971)

① 박정희 정부 : 수출 주도형의 성장 우선 정책, 외자 도입에 노력

② 내용 : 수출 중심 전략, 노동 집약적 산업 육성, 사회 간접 자본 확충(경부고속국도 건설)

3) 제3차, 4차 경제 개발 5개년 계획(1972~1981)

① 내용 : 중화학 공업 집중 육성, 새마을 운동 지속적인 추진

② 위기 : 제1차 석유 파동(중동 건설 붐으로 극복), 제2차 석유 파동(중화학 공업 과잉 투자, 경제 성장률 감소)

4) 고도 성장의 문제점

① 양극화 심화 : 도시와 농촌 간 격차, 노동 문제, 서울 중심의 수도권 비대화

② 구조적 취약성 : 대기업과 재벌 중심의 경제 집중, 정경 유착 발생, 경제 대외 의존도 심화

2. 1980년대 이후의 경제

1) 전두환 정부

① 정부의 산업 구조 조정, 시장 경제의 자율성 도모, 자본 자유화 정책으로 자본 및 금융 시장 개방화 추진

② 1980년대 중반 3저 호황(저금리, 저유가, 저달러)으로 무역 흑자 달성

2) 김영삼 정부

① OECD 가입, 개방화·국제화 추진, 금융 실명제 실시, 신경제 5개년 계획 발표

② 외환 위기로 국제 통화 기금의 긴급 금융 지원(1997)

3) 김대중 정부

① 신자유주의 경제 정책을 바탕으로 외환 위기 극복, 노사정 위원회 구성

② 노동자 대량 해고, 일부 은행과 기업 해외 매각

02 | 사회 · 문화 발전

1. 사회 · 문화 변화

1) 산업화, 도시화, 정보화

① 산업 구조의 변화 : 농업 인구의 감소, 서비스 산업과 제조업 분야의 인구 증가

② 도시화 : 농촌 인구의 도시 이동, 도시 생활 확산 → 주택 부족, 교통난, 공해 문제 등 발생, 노동 조건의 악화

③ 정보화 : 경제 발전, 능력 중심의 사회 풍토 조성 → 개인 정보 누출, 비인간화 문제 등 발생

2) 새마을 운동

① 배경 : 공업화 정책, 저곡가 정책으로 도시와 농촌 간 소득 격차 심화, 농촌 인구의 감소

② 새마을 운동 : 1970년 근면 · 자조 · 협동을 토대로 농어촌 근대화 추구, 도 · 농 간 균형 있는 발전 추구

3) 노동 운동

① 배경 : 박정희 정부의 저임금 정책, 열악한 노동 환경, 급속한 산업화로 노동자 급증

② 1970년대 전태일 분신 사건을 계기로 노동 운동 본격화

③ 1987년 6월 민주 항쟁 이후 더욱 활성화, 대다수 직장에 노동 조합 결성

④ 1990년대 새로운 전국 조직 결성으로 양대 조직 체제 형성(한국노총과 민주노총)

> **전태일 분신 사건**
>
> 1970년 동대문 평화 시장에서 일하던 재단사 전태일이 근로기준법 준수 등을 요구하며 분신한 사건이다. 이 사건으로 노동 운동에 대한 사회적 관심이 증가하고 노동 운동이 본격화되었다.

Exercises

01 1950년대 이승만 정부에서는 미국 원조를 바탕으로 한 제분, 제당, 면방 직 공업 이른바 (　　　　)이 발달하였다.

02 1960년대 제1차, 2차 경제 개발 5개년 계획은 경공업 중심의 (　　　　) 산업이 발달하였다.

03 1970년대 제3차, 4차 경제 개발 5개년 계획에서는 자본과 기술이 집중되 는 (　　　　　)을 집중적으로 육성하였다.

04 1970년 급격한 산업화, 공업화로 도시와 농촌 간의 격차가 심화되자 정부 는 (　　　　　)을 추진하였다.

05 김영삼 정부에서는 1997년 경제 위기를 맞아 (　　　)로부터 구제 금융을 지원 받았다.

정답　1. 삼백 산업　　2. 노동집약적　　3. 중화학 공업　　4. 새마을 운동　　5. IMF

04 평화 통일을 위한 노력과 동아시아의
역사와 영토 갈등

01 | 통일을 위한 노력

1. 대한민국의 통일에 대한 노력

1) 1950~1960년대 남북한의 통일 정책

① 이승만 정부 : 북진 통일과 멸공 통일 주장

② 장면 내각 : 유엔 감시하의 남북한 총선거 주장, 민간 차원에서 통일 논의 활성화

③ 박정희 정부 : 강력한 반공 정책(선 건설 후 통일론 제시), 북한의 무장 공비 남파로 갈등 고조

④ 북한의 통일 정책 : 미군 철수를 전제로 남북한 총선거 주장(1954) → 연방제 통일 방안 제시(1960)

2) 박정희 정부 : 7 · 4 남북 공동 성명(1972)

① 과정 : 비밀 특사 파견을 통한 합의, 통일의 3대 원칙 발표, 남북 조절위원회 설치

② 통일의 3대 원칙

– 통일은 외세에 의존하거나 외세의 간섭을 받지 않고 자주적으로 해결해야 한다.

– 통일은 상대를 반대하는 무력행사에 의거하지 않고 평화적 방법으로 실현해야 한다.

– 사상과 이념, 제도의 차이를 초월하여 하나의 민족으로서 민족적 대단결을 도모하여야 한다.

2. 남북의 교류

1) 노태우 정부 : 남북 기본 합의서(1991)

① 배경과 정부 활동 : 소련과 동유럽 사회주의 국가 붕괴, 남북 고위급 회담 추진, 남북 유엔 동시 가입

② 남북 기본 합의서(1991) : 남북 정부 간의 최초의 공식 합의서, 상호 불가침 합의, 상호 간의 체제 인정

③ 한반도 비핵화 공동 선언 : 핵 전쟁 위험 제거, 통일을 위한 환경 조성

2) 김대중 정부 : 6 · 15 남북 공동 선언(2000)

① 남북 교류 확대 : 대북 화해 협력 정책, 금강산 관광, 경의선 복구 시작

② 남북 정상 회담(2000) : 분단 이후 최초로 평양에서 개최, 6 · 15 공동 선언 발표, 통일 문제를 민족끼리 자주적으로 해결할 것과 남측의 연합제와 북측의 낮은 단계 연방제의 공통성 인정

02 | 동아시아의 역사와 영토 갈등

1. 일본과 갈등

1) 역사 갈등 : 1980년대 일본의 급속한 우경화 진행

① 기미가요와 일장기를 국가와 국기로 숭배법 제정, 독도 영유권 주장, 야스쿠니 신사 참배 전개

② 일제 강점기 여성에 대한 군 위안부 문제 부인

2) 교과서 왜곡

① 후소사 교과서 : 태평양 전쟁 책임 부정, 일본의 민족주의 자극 → 주변국 반발 초래

② 사회 교과서 : 독도를 일본 영해 안에 표시

2. 중국과 갈등

1) 동북 공정 : 고구려는 중국의 소수 민족이 세운 지방 정권이라는 연구 부각

2) 발해사 인식 문제 : 중국은 발해를 자국의 지방 정권이라고 주장, 최근 왜곡된 사실을 교과서에 반영

01   1972년 남북 최초 합의서인 (   )에서 통일에 대한 3대 원칙을 제시하였다.

02   고위급 회담을 통한 남북 최초 공식적 합의서인 (   )에서 남북 상호 불가침 합의를 약속했다.

03   최초 남북 정상 회담의 개최는 (   )으로 이어져 대북 화해 협력 정책 성과를 이룰 수 있었다.

정답   1. 7·4 남북 공동 성명   2. 남북 기본 합의서   3. 6·15 남북 공동 선언

한국사

인쇄일	2021년 8월 25일
발행일	2021년 9월 1일
펴낸이	(주)매경아이씨
펴낸곳	도서출판 국자감
지은이	편집부
주소	서울시 영등포구 문래2가 32번지
전화	1544-4696
등록번호	2008.03.25 제 300-2008-28호
ISBN	979-11-5518-106-5 13370

국자감 전문서적

기초다지기 / 기초굳히기

"기초다지기, 기초굳히기 한권으로 시작하는 검정고시 첫걸음"

· 기초부터 차근차근 시작할 수 있는 교재
· 기초가 없어 시작을 망설이는 수험생을 위한 교재

기본서

"단기간에 합격! 효율적인 학습!
 적중률 100%에 도전!"

· 철저하고 꼼꼼한 교육과정 분석에서 나온 탄탄한 구성
· 한눈에 쏙쏙 들어오는 내용정리
· 최고의 강사진으로 구성된 동영상 강의

만점 전략서

"검정고시합격은 기본! 고득점과 대학진학은 필수!"

· 검정고시 고득점을 위한 유형별 요약부터
  문제풀이까지 한번에
· 기본 다지기부터 단원 확인까지 실력점검

핵심 총정리

"시험 전 총정리가 필요한 이 시점! 모든 내용이 한눈에"

· 단 한권에 담아낸 완벽학습 솔루션
· 출제경향을 반영한 핵심요약정리

합격길라잡이

"개념 4주 다이어트, 교재도 다이어트한다!"

· 요점만 정리되어 있는 교재로 단기간 시험범위 완전정복!

· 합격길라잡이 한권이면 합격은 기본!

기출문제집

"시험장에 있는 이 기분! 기출문제로 시험문제 유형 파악하기"

· 기출을 보면 답이 보인다

· 차원이 다른 상세한 기출문제풀이 해설

예상문제

"오랜기간 노하우로 만들어낸 신들린 입시고수들의 예상문제"

· 출제 경향과 빈도를 분석한 예상문제와 정확한 해설

· 시험에 나올 문제만 예상해서 풀이한다

수능 시리즈

"기초가 탄탄해야 응용도 가능하다"

· 개념부터 문제 유형 분석까지 '기초탄탄 수능 시리즈'

한양 시그니처 관리형 시스템

#정서케어 #학습케어 #생활케어

관리형 입시학원의 탄생

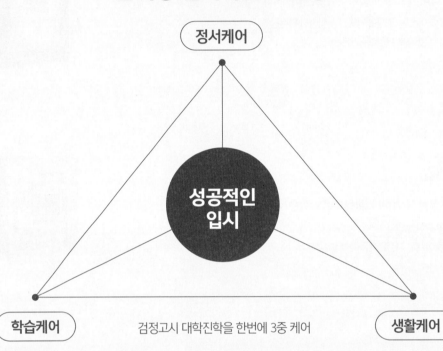

정서케어

성공적인
입시

학습케어   검정고시 대학진학을 한번에 3중 케어   생활케어

정서케어

· 3대1 멘토링
  (입시담임, 학습담임, 상담교사)
· MBTI (성격유형검사)
· 심리안정 프로그램
  (아이스브레이크, 마인드 코칭)
· 대학탐방을 통한 동기부여

학습케어

· 1:1 입시상담
· 수준별 수업제공
· 전략과목 및 취약과목 분석
· 성적 분석 리포트 제공
· 학습플래너 관리
· 정기 모의고사 진행
· 기출문제 & 해설강의

생활케어

· 출결점검 및 조퇴, 결석 체크
· 자습공간 제공
· 쉬는 시간 및 자습실
  분위기 관리
· 학원 생활 관련 불편사항
  해소 및 학습 관련 고민 상담

HANYANG
ACADEMY

| 한양 프로그램 한눈에 보기 |

· 검정고시반 중·고졸 검정고시 수업으로 한번에 합격!

기초개념	기본이론	핵심정리	핵심요약	파이널
개념 익히기	과목별 기본서로 기본 다지기	핵심 총정리로 출제 유형 분석 경향 파악	요약정리 중요내용 체크	실전 모의고사 예상문제 기출문제 완성

· 고득점관리반 검정고시 합격은 기본 고득점은 필수!

기초개념	기본이론	심화이론	핵심정리	핵심요약	파이널
전범위 개념익히기	과목별 기본서로 기본 다지기	만점 전략서로 만점대비	핵심 총정리로 출제 유형 분석 경향 파악	요약정리 중요내용 체크 오류범위 보완	실전 모의고사 예상문제 기출문제 완성

· 대학진학반 고졸과 대학입시를 한번에!

기초학습	기본학습	심화학습/검정고시 대비	핵심요약	문제풀이, 총정리
기초학습과정 습득 학생별 인강 부교재 설정	진단평가 및 개별학습 피드백 수업방향 및 난이도 조절 상담	모의평가 결과 진단 및 상담 4월 검정고시 대비 집중수업	자기주도 과정 및 부교재 재설정 4월 검정고시 성적에 따른 재시험 및 수시컨설팅 준비	전형별 입시진행 연계교재 완성도 평가

· 수능집중반 정시준비도 전략적으로 준비한다!

기초학습	기본학습	심화학습	핵심요약	문제풀이, 총정리
기초학습과정 습득 학생별 인강 부교재 설정	진단평가 및 개별학습 피드백 수업방향 및 난이도 조절 상담	모의고사 결과진단 및 상담 / EBS 연계 교재 설정 / 학생별 학습성취 사항 평가	자기주도 과정 및 부교재 재설정 학생별 개별지도 방향 점검	전형별 입시진행 연계교재 완성도 평가

HANYANG ACADEMY

D-DAY를 위한 신의 한수

검정고시생 대학진학 입시 전문

검정고시 합격은 기본!
대학진학은 필수!

입시 전문가의 컨설팅으로 성적을 뛰어넘는 결과를 만나보세요!

HANYANG ACADEMY

YouTube

HANYANG ACADEMY